Mr Ffiaidd

David Walliams

Mr Ffiaidd

Addasiad Gruffudd Antur
Arlunwyd gan Quentin Blake

atebol

Y fersiwn Cymraeg

Y cyhoeddiad Cymraeg © Atebol Cyfyngedig, Adeiladau'r Fagwyr, Llanfihangel Genau'r Glyn, Aberystwyth, Ceredigion SY24 5AQ

Cyhoeddwyd gan Atebol Cyfyngedig yn 2016

Addaswyd i'r Gymraeg gan Gruffudd Antur

Dyluniwyd gan Owain Hammonds

Golygwyd gan Adran Olygyddol Cyngor Llyfrau Cymru

Cyhoeddwyd gyda chymorth ariannol Cyngor Llyfrau Cymru

www.atebol.com

1

Drewgi

Un drewllyd oedd Mr Ffiaidd. Ond nid ei fai o oedd hynny. Trempyn oedd o, wedi'r cyfan. Doedd ganddo ddim cartref a doedd o byth yn cael cyfle i ymolchi'n iawn fel chi a fi. Bob diwrnod, roedd y drewdod yn mynd yn waeth ac yn waeth. Dyma ichi lun o Mr Ffiaidd, druan.

Ylwch arno fo'n gwisgo'n smart yn ei siaced frethyn a'i dei bo. Ond peidiwch â chael eich twyllo. Mae'r llun yn cuddio'r drewdod. Petaech chi'n gallu ogleuo'r llun fe fyddech chi'n taflu'r llyfr i'r bin. Ac yna'n taflu'r bin i'r afon.

A dyna'i gi bach du ffyddlon: Gelert. Doedd

Gelert ddim yn gi o unrhyw frid arbennig, dim ond ci. Roedd o'n drewi hefyd, ond ddim cynddrwg â Mr Ffiaidd. Doedd dim yn y byd yn ogleuo mor ofnadwy â fo. Oni bai am ei farf o. Roedd honno'n llawn o hen ddarnau o wy a selsig a chaws oedd wedi syrthio o'i geg dros y blynyddoedd wrth iddo fwyta. Doedd Mr Ffiaidd erioed wedi golchi ei farf, felly roedd gan honno ei drewdod arbennig o ffiaidd ei hun.

Un bore, ymddangosodd Mr Ffiaidd yn y dref a dewisodd un o'r meinciau fel cartref. Wyddai neb o ble roedd o wedi dod nac i ble roedd o'n mynd. Roedd trigolion y dref yn garedig iawn wrtho ar y cyfan. Byddai ambell un yn gadael arian mân iddo wrth ei draed, cyn rhedeg i ffwrdd gan ddal ei wynt. Ond doedd neb yn gyfeillgar ofnadwy. Doedd neb yn aros i sgwrsio.

Wel, neb tan y diwrnod hwnnw pan fagodd un ferch ddigon o blwc o'r diwedd i fynd ato i sgwrsio – a dyna lle mae'r stori'n dechrau.

"Helô," meddai'r ferch, a'i llais yn grynedig braidd. Alys oedd enw'r ferch. Dim ond deuddeg oed oedd Alys a doedd hi erioed wedi siarad â thrempyn o'r blaen. Roedd Mam wedi'i siarsio i beidio â siarad ag unrhyw 'greaduriaid rhyfedd'. Doedd Mam ddim am i Alys siarad â phlant y tai cyngor, hyd yn oed. Ond doedd Alys ddim yn meddwl bod Mr Ffiaidd yn 'greadur rhyfedd'. Roedd hi'n meddwl ei fod o'n edrych fel rhywun â stori ddiddorol iawn i'w dweud, ac roedd Alys wrth ei bodd â straeon diddorol.

Fe fyddai Alys yn pasio'r trempyn a'i gi yn y car bob dydd ar y ffordd i'r ysgol breifat. Mewn glaw a hindda, gwynt ac eira, roedd o bob amser yn eistedd ar yr un hen fainc a'i gi wrth ei draed. A hithau'n swatio'n gynnes ar seddi lledr y car wrth ymyl Siân, ei chwaer fach ddrygionus, byddai Alys yn edrych ar y trempyn ac yn pendroni.

Troellai miloedd ar filoedd o cwestiynau yn ei phen. Pwy oedd o? Pam roedd o'n cysgu ar y fainc? Oedd ganddo gartref? Beth roedd y ci'n ei gael i'w fwyta? Oedd ganddo deulu neu ffrindiau? Os oedd, oedden nhw'n gwybod ei fod o'n ddigartref?

Ble roedd o'n treulio'i ddydd Nadolig? Os oeddech chi am sgwennu llythyr ato, pa gyfeiriad ddylech chi ei roi ar yr amlen? 'Y fainc – ie, honno rownd y gornel wrth yr arhosfan bws'? Pryd gafodd o fath ddiwethaf? Ai Mr Ffiaidd oedd ei enw *go iawn*?

Roedd Alys wrth ei bodd yn gofyn cwestiynau fel hyn iddi hi ei hun. Yn aml iawn, byddai hi'n eistedd ar ei gwely ac yn dyfeisio straeon am Mr Ffiaidd. Heb neb ond hi yn y stafell, byddai hi'n dychmygu pob math o straeon anhygoel. Efallai fod Mr Ffiaidd yn hen longwr arwrol oedd wedi ennill dwsinau o fedalau am ei ddewrder, ond wedi'i chael hi'n anodd setlo ar dir sych. Neu efallai ei fod o'n ganwr opera byd-enwog, a'i fod, wrth daro'r nodyn uchaf yn Nhŷ Opera Sydney un noson, wedi colli ei lais, a wnaeth o byth ddod yn ei ôl. Neu efallai ei fod o'n ysbïwr yn gweithio i lywodraeth Rwsia, ac wedi gwisgo fel trempyn rhag ofn i neb ei amau.

Wyddai Alys ddim byd am Mr Ffiaidd. Ond yr hyn roedd hi'n ei wybod, y diwrnod hwnnw pan fagodd hi ddigon o blwc i fynd ato i siarad, oedd y byddai'r papur pumpunt oedd ganddi yn ei llaw yn golygu llawer iawn mwy iddo fo nag iddi hi.

Edrychai'n unig hefyd. Nid am ei fod o ar ei ben ei hun, ond yn unig yn ei enaid, ac roedd hynny'n tristáu Alys. Gwyddai hi'n iawn sut beth oedd bod yn unig. Doedd hi ddim yn hoff iawn o'r ysgol gan fod Mam wedi mynnu ei gyrru i ysgol breifat i ferched, a doedd ganddi ddim ffrindiau yno. Doedd hi ddim yn hoff iawn o fod gartref chwaith. Lle bynnag yr âi Alys, teimlai nad oedd hi'n ffitio'n iawn.

Ar ben hynny, roedd hi'n gas adeg Alys o'r flwyddyn: y Nadolig. Mae pawb i fod wrth eu bodd â'r Nadolig, yn enwedig plant, ond roedd Alys yn ei gasáu. Casáu'r tinsel, casáu'r cracyrs, casáu'r carolau, casáu araith y Frenhines, casáu'r mins-peis, casáu'r eira, casáu eistedd gyda'r teulu am oriau i fwyta'r cinio, ac, yn fwy na dim, casáu gorfod esgus bod yn hapus.

"Fedra i dy helpu, 'mechan i?" gofynnodd Mr Ffiaidd. Roedd ei lais o'n annisgwyl o grand. Gan nad oedd neb erioed wedi stopio i siarad ag o o'r blaen, edrychodd y trempyn yn amheus braidd ar yr hogan fach lond ei chroen a safai o'i flaen. Roedd Alys yn difaru braidd. Efallai nad oedd yn syniad da iawn mynd at yr hen drempyn wedi'r cyfan. Roedd hi wedi bod yn aros am yr eiliad hon ers wythnosau, misoedd hyd yn oed. Ond nid dyma sut roedd pethau i fod i ddigwydd.

I wneud pethau'n waeth, roedd yn rhaid i Alys stopio anadlu drwy ei thrwyn. Roedd y drewdod yn dechrau gwneud i'w stumog hi droi. Bron nad oedd y drewdod yn teimlo fel rhywbeth byw, yn cropian i fyny ei thrwyn ac yn llosgi cefn ei gwddw.

"Yym, wel, mae'n ddrwg gen i eich poeni chi ..."

"Ie?" meddai Mr Ffiaidd yn ddiamynedd braidd.

Cafodd Alys syndod. Pam roedd o ar gymaint o frys? Roedd o *wastad* yn eistedd ar ei fainc. Go brin ei fod o ar hast i fynd i rywle arall.

Yr eiliad honno dechreuodd Gelert gyfarth arni. Teimlai Alys hyd yn oed yn fwy ofnus. Gan synhwyro hyn, cydiodd Mr Ffiaidd yng ngwar ei gi a'i siarsio i beidio â gwneud cymaint o sŵn.

"Wel," meddai Alys yn betrus, "mae fy modryb i wedi anfon papur pumpunt i mi fynd i brynu anrheg Dolig i mi fy hun. Ond dydw i ddim wir angen dim byd ac mi o'n i'n meddwl y byddech chi'n hoffi ei gael o."

Gwenodd Mr Ffiaidd. Gwenodd Alys hefyd. Am funud roedd yn edrych fel petai o am dderbyn ei chynnig hi, ond yna syllodd i lawr ar y pafin.

"Diolch," meddai'r trempyn. "Anghyffredin o garedig, ond dim diolch."

Roedd Alys mewn penbleth. "Pam ddim?" gofynnodd.

"Dim ond plentyn wyt ti. Pumpunt? Mae hynny'n ormod o lawer i blentyn ei roi."

"Ond dim ond ..."

"Chwarae teg i ti, ond mae arna i ofn na alla i dderbyn yr arian. Dywed i mi, faint ydi dy oed di? Naw? Deg?"

"DEUDDEG!" atebodd Alys yn biwis. Roedd hi braidd yn fyr am ei hoedran, ond roedd hi'n hoffi meddwl ei bod hi'n aeddfed iawn mewn sawl ffordd. "Dwi'n ddeuddeg oed. Yn dair ar ddeg ar y nawfed o Ionawr!"

"Mae'n ddrwg gen i. Deuddeg. Bron yn dair ar

ddeg. Dos i brynu un o'r disgiau cerddorol sgleiniog 'na i ti dy hun. Paid di â phoeni am ryw hen drempyn fel fi." Gwenodd Mr Ffiaidd. Roedd ei lygaid yn disgleirio wrth iddo wenu.

"Dydw i ddim isio bod yn anghwrtais," meddai Alys, "ond ga i ofyn cwestiwn?"

"Wrth gwrs y cei di."

"Wel, mi fyddwn i'n hoffi gwybod: pam rydych chi'n byw ar fainc ac nid mewn tŷ fel pawb arall?"

Anesmwythodd Mr Ffiaidd ac edrych yn betrus arni. "Mae'n stori hir, 'mechan i," meddai. "Falle y cei di wybod ryw ddydd."

Edrychai Alys yn siomedig. Roedd hi'n siŵr na fyddai'r *rhyw ddydd* hwnnw byth yn dod. Petai ei mam yn clywed ei bod hi wedi bod yn siarad â thrempyn, heb sôn am gynnig arian iddo fo, mi fyddai hi'n colli ei limpyn yn llwyr.

"Wel, mae'n ddrwg gen i eich poeni chi," meddai Alys. "Mwynhewch eich diwrnod." Gwingodd wrth ddweud y geiriau. Am beth gwirion i'w ddweud! Sut fedrai o fwynhau ei ddiwrnod? Hen drempyn drewllyd oedd o, ac roedd yr awyr yn tywyllu a'r cymylau'n cau. Camodd ar hyd y stryd yn teimlo fel tipyn o ffŵl.

"Be 'di hwnna ar dy gefn di, 'mechan i?" gwaeddodd Mr Ffiaidd ar ei hôl.

"Be 'di be ar fy nghefn i?" gofynnodd Alys, gan geisio edrych dros ei hysgwydd. Estynnodd ei llaw a rhwygo darn o bapur oddi ar ei chôt. Edrychodd arno.

Ar y papur, mewn llythrennau du bras, roedd un gair.

Teimlodd Alys ei stumog yn troi gan gywilydd. Rhaid bod Tracey wedi sticio'r papur ar ei chefn hi wrth iddi adael yr ysgol. Tracey oedd prif ferch y criw cŵl. Roedd hi byth a beunydd yn bwlio Alys, yn pigo arni am fwyta gormod o losin, neu am fod yn dlotach na phawb arall yn yr ysgol, neu am mai hi oedd y ferch nad oedd neb eisiau ei chael yn eu tîm hoci. Wrth i Alys adael yr ysgol y diwrnod hwnnw roedd Tracey wedi curo ei chefn sawl gwaith

gan ddweud "Nadolig Llawen!" Gwenai ar y merched eraill o'i chwmpas, a'r rheiny'n piffian chwerthin. Gwyddai Alys pam rŵan. Cododd Mr Ffiaidd yn araf oddi ar ei fainc a gafael yn y papur.

"Fedra i ddim credu 'mod i wedi crwydro drwy'r pnawn efo hwnna ar fy nghefn i," meddai Alys. Roedd hi'n gallu teimlo'r dagrau'n dechrau cronni yn ei llygaid felly edrychodd i lawr ar y pafin i guddio ei chywilydd.

"Be sy'n bod, 'mechan i?" gofynnodd Mr Ffiaidd yn garedig.

Anadlodd Alys yn drwm. "Wel," meddai'n araf, "mae o'n wir, dydi. Dwi'n benbwl."

Plygodd Mr Ffiaidd i edrych ar ei hwyneb. "Na," meddai'n gadarn, "dwyt ti ddim yn benbwl. Y penbwl go iawn ydi'r un wnaeth roi hwnna arnat ti."

Ceisiodd Alys ei gredu o, ond fedrai hi ddim. Roedd hi wastad wedi teimlo fel penbwl. Efallai fod Tracey a'r holl ferched eraill yn iawn.

"Dim ond un lle sydd i hwn," meddai Mr Ffiaidd. Cydiodd yn y papur a'i wasgu'n belen, ac fel cricedwr proffesiynol fe fowliodd y belen yn grefftus i'r bin. Sylwodd Alys ar hyn ac fe ddechreuodd ei meddwl chwyrlïo'n syth: tybed a fu Mr Ffiaidd yn chwaraewr criced proffesiynol ers talwm?

Rhwbiodd Mr Ffiaidd ei ddwylo'n falch. "Dyna ni! Y bin ydi lle llanast."

"Diolch," murmurodd Alys.

"Dim angen diolch," meddai Mr Ffiaidd. "Ond rhaid i ti beidio â gadael i neb dorri dy galon di."

"Mi wna i drio," meddai Alys. "Braf cwrdd â chi, Mr ... yym ..." meddai'n betrus. Roedd pawb yn ei

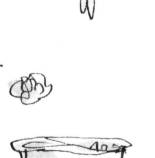

alw o'n Mr Ffiaidd, ond wyddai hi ddim ai dyna ei enw go iawn. Feiddiai hi ddim ei alw o'n Mr Ffiaidd i'w wyneb.

"Ffiaidd," meddai. "Maen nhw'n fy ngalw i'n Mr Ffiaidd."

"O. Wel, braf iawn cwrdd â chi, Mr Ffiaidd. Alys ydw i."

"Helô, Alys," meddai Mr Ffiaidd.

"Wyddoch chi be, Mr Ffiaidd, mi ydw i am fynd i siopa. Ydych chi angen unrhyw beth? Sebon neu unrhyw beth?"

"Diolch, 'mechan i," atebodd, "ond does arna i ddim angen sebon. Mi ges i fath y llynedd, weli di. Ond mi fyddwn i wrth fy modd efo selsig – un selsigen fawr, flasus ..."

2

Tawelwch llethol

"Mam?" meddai Siân.

Arhosodd Mam iddi orffen cnoi ei bwyd yn llwyr a'i lyncu cyn ateb.

"Ie, 'ngeneth annwyl i?"

"Mae Alys newydd fachu un o'r selsig oddi ar ei phlât a'i chuddio yn ei phoced."

Roedd hi'n nos Sadwrn ac roedd y teulu'n eistedd o gwmpas y bwrdd, yn colli'r holl raglenni poblogaidd ar y teledu gan eu bod nhw'n bwyta. Doedd Mam ddim yn caniatáu i neb fwyta a gwylio'r teledu yr un pryd. Roedd hynny'n 'goman ofnadwy' yn ei barn hi. Yn hytrach, roedd yn rhaid i'r teulu eistedd mewn tawelwch llethol wrth y bwrdd, yn bwyta eu swper ac yn syllu'n wag ar y waliau. Weithiau, byddai Mam yn dewis pwnc trafod, a'r pwnc hwnnw fel arfer oedd beth fyddai hi'n ei wneud petai hi'n rheoli'r wlad. Dyna oedd ei hoff bwnc. Roedd hi wedi rhoi'r gorau i'w swydd mewn salon harddwch er mwyn sefyll i fod yn Aelod Cynulliad, a doedd ganddi ddim amheuaeth o gwbwl y byddai hi'n Brif Weinidog ryw ddydd.

Roedd hi hefyd wedi enwi cath y teulu, Elisabeth, ar ôl brenhines Lloegr. Roedd ganddi obsesiwn â bod yn *posh*. Dim ond gwesteion pwysig oedd yn cael defnyddio'r tŷ bach lawr grisiau; roedd ganddyn nhw set o lestri penodol ar gyfer achlysuron arbennig, a doedden nhw erioed wedi cael eu defnyddio. Fyddai Mam byth yn gadael y tŷ – doedd hi ddim hyd yn oed yn ateb y drws – heb wisgo'n ddestlus a threulio oriau'n gwneud ei cholur yn berffaith, a'i pherlau arbennig am ei gwddw a digon o bersawr i wneud i anifeiliaid bychan lewygu wrth iddi fynd heibio. Dynes falch, ffroenuchel oedd hi, ac roedd hi wedi hen arfer â throi trwyn ar bawb a phopeth. Dyma ichi lun ohoni.

Mam bach, mae hi'n posh, dydi?!

Heb fawr o syndod, doedd Dad prin byth yn agor ei geg i siarad. Roedd yn haws bod yn dawel a derbyn pob dim roedd Mam yn ei ddweud. Dyn mawr a chryf oedd o, ond roedd personoliaeth gryfach Mam yn gwneud iddo deimlo fel corrach. Dim ond deugain oed oedd o, ond roedd o eisoes yn dechrau colli'i wallt a'i gefn yn dechrau crymu. Wedi'r cyfan, roedd o'n gweithio oriau hir a chaled iawn mewn ffatri geir ar gyrion y dref.

"Wnest ti guddio un o'r selsig yn dy boced, Alys?" gofynnodd Mam.

"Ti wastad yn trio 'nghael i drwbwl!" taranodd Alys.

Roedd hynny'n wir. Roedd Siân ddwy flynedd yn iau nag Alys ac yn un o'r plant syrffedus hynny mae oedolion yn meddwl eu bod nhw'n berffaith, ond nad ydi plant eraill yn eu hoffi gan eu bod nhw'n hen snichod bach cegog. Ar ben hynny, roedd Siân wrth ei bodd yn ceisio cael Alys i drwbwl. Fe fyddai hi'n gorwedd ar ei gwely yn ei stafell binc llachar gan rowlio a chrio a sgrechian, "ALYS, DOS O 'MA!

TI'N FY MRIFO I!" er bod Alys yn darllen yn dawel yn ei stafell ei hun ar y pryd. Fe allech chi ddweud bod Siân yn ddieflig. Roedd hi'n sicr yn ddieflig yng ngolwg ei chwaer fawr.

"O, sorri, Mam – mi syrthiodd hi ar fy nglin i," meddai Alys yn gelwyddgar. Ei chynllun hi oedd smyglo'r selsig o'r tŷ a'u rhoi i Mr Ffiaidd. Roedd hi wedi bod yn meddwl am Mr Ffiaidd druan drwy'r nos, yn ei ddychmygu'n rhynnu ar noson fileinig o oer, a hithau'n glyd yn ei chartref cynnes.

"Iawn 'te, Alys, tynna hi o dy boced a rho hi'n ôl ar y plât," gorchmynnodd Mam. "Mae gen i gymaint o gywilydd ein bod ni'n bwyta selsig i swper. Mi rois i gyfarwyddiadau clir i Dad ei heglu hi i'r archfarchnad a phwrcasu pedair ffiled o ddraenogiaid y môr. Y rhai gorau. A dyma fo'n dod adre efo selsig. Mi fyddai gen i gymaint o gywilydd petai unrhyw un yn galw heibio ac yn gweld hyn. Mi fydden nhw'n meddwl fy mod i'n rhyw fath o drempyn!"

"Mae'n ddrwg gen i, cariad," protestiodd Dad. "Roedd yr holl ddraenogiaid y môr wedi'u gwerthu." Winciodd yn gynnil ar Alys. Wrth gwrs, doedd ganddo ddim bwriad yn y byd i brynu pedair ffiled ddrud o ddraenogiaid y môr. Roedd Alys a Dad yn hoff iawn o selsig, a nifer o fwydydd eraill nad oedd Mam yn eu cymeradwyo: creision, diodydd pigog, sglodion, hufen iâ ac ati. Dim ond pan fyddai Mam oddi cartref yr oedden nhw'n cael bwyta'r fath bethau hyfryd. "Mi fyddai'n well gen i farw" fyddai ymateb Mam petaech chi'n cynnig byrger iddi hi.

"Rŵan, pawb i dorchi'i lewys i glirio'r llestri," meddai Mam ar ôl i'r teulu orffen bwyta. "Siân, fy angel fach i, cliria di'r bwrdd; Alys, mi gei di olchi'r llestri ac mi geith Dad eu sychu nhw." Pan ddywedodd hi 'pawb i dorchi'i lewys', yr hyn roedd hi'n ei olygu mewn gwirionedd oedd 'pawb ond fi'. A thra oedd yr holl deulu'n slafio i wneud eu dyletswyddau, gorweddai Mam yn ôl ar y soffa gan agor pecyn mawr o siocledi. Roedd hi'n cael pecyn cyfan bob dydd, a byddai'n cnoi pob siocled yn boenus o araf fel bod pob un yn para am awr iddi.

Sylwodd Mam fod un o'r siocledi ar goll. "Mae un o'r siocledi 'ma wedi dod o hyd i draed, mae'n rhaid!" gwaeddodd Mam.

Edrychodd Siân yn filain ar Alys cyn dychwelyd i'r stafell fwyta i gasglu mwy o blatiau. "Mae'n siŵr mai ti wnaeth, y bolgi!" hisiodd.

"Paid â bod yn gas, Siân," siarsiodd Dad.

Teimlai Alys yn euog, er nad hi oedd wedi dwyn un o siocledi Mam. Aeth hi a'i thad yn ôl at y sinc.

"Alys, pam wnest ti drio cuddio un o dy selsig?" gofynnodd Dad. "Os nad wyt ti'n eu hoffi nhw, mi fyddwn i wedi'u cymryd nhw."

"Do'n i ddim yn trio'i chuddio hi, Dad."

"Felly be oeddet ti am ei wneud efo hi?"

Yn sydyn, ymddangosodd Siân gyda phentwr

arall o lestri budr, ac aeth y ddau'n dawel. Arhosodd y ddau iddi adael y stafell.

"Wel, ti'n gwybod am y trempyn sydd wastad yn eistedd ar yr un fainc ..."

"Mr Ffiaidd?"

"Ie. Wel, mi o'n i'n meddwl bod ei gi o'n edrych yn llwglyd braidd, felly ro'n i am fynd ag ychydig o fwyd iddo fo."

Celwydd, ond celwydd golau.

"Wel, does 'na ddim drwg mewn mynd â bwyd i'r ci, druan, am wn i," meddai Dad, "ond dim ond unwaith, deall?"

"Ond ..."

"Unwaith, Alys. Ddim eto. Neu mi fydd Mr Ffiaidd yn disgwyl i ti fwydo ei gi o bob dydd. Mi wnes i guddio paced arall o selsig y tu ôl i'r *crème fraîche*, be bynnag ydi hwnnw. Mi goginia i nhw bore fory cyn i Mam ddeffro ac mi gei di eu rhoi nhw i ..."

"BE YDI'R HOLL SIARAD 'MA?" bloeddiodd Mam o'r stafell fyw.

"O, yym, dim ond trafod pa fath o gaws sydd orau gan y ddau ohonon ni," meddai Dad, gan raffu celwyddau. "Mae Alys o'r farn mai *brie* ydi'r mwya blasus, ond mae'n well gen i rywbeth caletach a mwy traddodiadol, fel caws Caerffili neu gaws Llŷn."

"Da iawn. Ymlaen â'r gwaith!" taranodd y llais o'r stafell fyw.

Gwenodd Dad yn ddireidus ar Alys.

3

Y crwydryn

Bwytaodd Mr Ffiaidd y selsig yn syndod o daclus. Yn gyntaf, tynnodd hances wen fechan o'i boced a'i gosod o dan ei ên. Yna, tynnodd gyllell arian hynafol o'i boced gesail. Yn olaf, estynnodd blât gydag ymylon aur arno, a'i roi i Gelert i'w lyfu'n lân cyn gosod y selsig yn daclus arno.

Syllodd Alys ar y plât. Oedd hwn yn gliw arall am orffennol Mr Ffiaidd, tybed? Efallai ei fod o'n arfer bod yn lleidr, yn dwyn oddi ar y cyfoethog i helpu'r tlawd drwy dorri i mewn i blastai yng nghanol nos a dwyn y llestri drud i gyd.

"Oes gen ti fwy o'r selsig 'na?" gofynnodd Mr Ffiaidd, a'i geg yn llawn o fwyd.

"Na, dim ond yr wyth yna, mae arna i ofn," atebodd Alys.

Safai Alys yn ddigon pell oddi wrth y trempyn rhag ofn i'r drewdod wneud iddi lewygu. Syllai Gelert druan ar Mr Ffiaidd wrth iddo fwyta, a'i lygaid fel soseri a'i geg yn glafoerio wrth iddo weld yr holl gig.

"Dyna ti, Gelert," meddai Mr Ffiaidd, gan osod hanner selsigen yng ngheg ei gi. Gan ei fod o mor llwglyd wnaeth Gelert ddim cnoi'r selsigen, dim ond ei llyncu'n gyfan, ac edrych yn ddisgwylgar ar yr hanner arall.

"Felly, Alys, ydi popeth yn iawn gartref?" gofynnodd Mr Ffiaidd, gan adael i'r ci lyfu gweddillion y selsig oddi ar ei fysedd.

"Sorri?" atebodd Alys yn ddryslyd.

"Gofyn wnes i a ydi popeth yn iawn gartref. Os

ydyn nhw, fyddet ti ddim yn treulio dy ddydd Sul yn siarad efo rhyw hen adyn fel fi."

"Adyn?"

"Dwi ddim yn hoffi'r gair 'trempyn'. Mae pobol yn cymryd yn ganiataol eich bod chi'n ddrewllyd."

Ceisiodd Alys guddio ei syndod.

"Mae'n well gen i 'adyn', neu 'grwydryn'," meddai Mr Ffiaidd.

Roedd hynny bron yn farddonol, meddyliodd Alys. Yn enwedig 'crwydryn'. Fe fyddai hi wrth ei bodd yn bod yn grwydryn. Fe fyddai hi'n crwydro'r holl fyd petai hi'n gallu, a gadael yr hen dref ddiflas lle nad oes dim byd yn digwydd a lle mae pob yfory'n union yr un fath â ddoe.

"Does dim byd yn bod gartref. Mae popeth yn iawn," atebodd Alys yn bendant.

"Wyt ti'n siŵr?" gofynnodd Mr Ffiaidd eto, a'i lais doeth yn tynnu'r gwir ohoni.

Doedd popeth, mewn gwirionedd, ddim yn iawn

gartref. Roedd Alys yn cael ei hanwybyddu drwy'r amser. Roedd Mam wedi dotio ar Siân – a hynny, mae'n siŵr, gan fod Siân yn fersiwn bychan o Mam. Ar bob wal yn y tŷ roedd 'na luniau o Siân yn dathlu ei holl lwyddiannau. Lluniau ohoni'n ennill

cwpanau, tarianau a thystysgrifau, a phob un yn dweud *Enillydd*, *Y Wobr Gyntaf*, *Y Gorau Erioed* a phob math o bethau cyfoglyd fel yna.

Po fwyaf roedd Siân yn llwyddo, mwyaf roedd Alys yn teimlo fel methiant. Roedd ei rhieni'n treulio'r rhan fwyaf o'u bywydau'n bod yn dacsi i Siân – yn ei chludo i'w holl weithgareddau ar ôl ysgol. Roedd Alys yn blino wrth edrych ar amserlen ei chwaer, hyd yn oed.

Dydd Llun

5 am   Gwers nofio

6 am   Gwers glarinét

7 am   Gwers ddawnsio gwerin

8 am   Gwers ddawnsio bale

9 am tan 4 pm   Ysgol

4 pm   Gweithdy drama, byrfyfyrio

5 pm   Gwers biano

6 pm   Clwb Hwyl Hwyr

7 pm   Merched yr Urdd

8 pm   Ymarfer taflu gwaywffon

Dydd Mawrth

4 am   Gwers ffidil

5 am   Ymarfer cerdded ar stilts

6 am   Cymdeithas Wyddbwyll

7 am   Gwers Siapanaeg

8 am   Gweithdy gosod blodau

9 am tan 4 pm   Ysgol

4 pm   Gweithdy ysgrifennu creadigol

5 pm   Gweithdy serameg

6 pm   Gwers delyn

7 pm   Gwers arlunio

8 pm   Gwers ddawnsio

Dydd Mercher

3 am   Ymarfer côr

4 am   Ymarfer naid hir

5 am   Ymarfer naid uchel

6 am   Ymarfer naid hir eto

7 am   Gwers drombôn

8 am   Deifio sgwba

9 am tan 4 pm   Ysgol

4 pm   Gwers goginio

5 pm   Dringo mynydd

6 pm   Tennis

7 pm   Gweithdy drama

8 pm   Gwers farchogaeth

Dydd Iau

2 am   Dysgu Arabeg

3 am   Gweithdy dawnsio hip-hop

4 am   Gwers obo

5 am   Ymarfer seiclo

6 am   Astudiaethau beiblaidd

7 am   Ymarfer gymnasteg

8 am   Gweithdy caligraffeg

9 am tan 4 pm   Ysgol

4 pm   Profiad gwaith mewn ysbyty

5 pm   Gwers ganu opera

6 pm   Gweithdy rocedi gyda NASA

7 pm   Gweithdy pobi, lefel 5

8 pm   Mynychu darlith am 'Hanes y farf yn
        Oes Fictoria'

Dydd Gwener

1 am   Gwers driongl, lefel 5

2 am   Badminton

3 am   Saethyddiaeth

4 am   Hedfan i'r Swistir am wers sgio
        Gweithdy crochenwaith yn yr awyren

6 am   Gwers sgio, a gweithdy barddoniaeth yn
        yr awyren ar y ffordd adre

8 am   Cicfocsio (gan gofio tynnu'r sgïau cyn
        y wers)

9 am tan 4 pm   Ysgol

4 pm   Gwers nofio yn y môr

5 pm   Gweithdy trwsio motor-beics

6 pm   Gweithdy gwneud canhwyllau

7 pm   Gweithdy magu dyfrgwn

8 pm   Gwylio'r teledu – un ai rhaglen ddogfen am y diwydiant carpedi yng Ngwlad Belg neu gartŵn o'r 1920au am dylluan drist.

A dydw i ddim wedi dechrau sôn am y penwythnosau. Dyna pryd roedd pethau'n prysuro go iawn i Siân. Doedd hi ddim yn syndod fod Alys yn cael ei hanwybyddu.

"Wel, am wn i fod pethau gartref yn ... yn ... yn ..." meddai Alys yn betrus. Roedd hi eisiau sôn am y peth, ond wyddai hi ddim sut i wneud hynny'n iawn.

Bong! Bong! Bong! Bong!

Trawodd cloch yr eglwys bedwar o'r gloch. Ebychodd Alys ac edrych ar ei horiawr. Pedwar o'r gloch! Roedd Mam yn ei gorfodi i wneud ei gwaith cartref o bedwar tan chwech bob nos, hyd yn oed yn ystod y gwyliau pan nad oedd ganddi unrhyw waith i'w wneud.

"Mae'n ddrwg gen i, Mr Ffiaidd, ond mae'n rhaid i mi fynd," meddai Alys. Yn dawel bach, roedd o'n rhyddhad iddi hi. Doedd neb erioed wedi gofyn iddi sut roedd hi'n teimlo, ac roedd hi'n dechrau teimlo'n annifyr ...

"O, wir, 'mechan i?" meddai'r hen ŵr a golwg siomedig ar ei wyneb.

"Oes, oes, rhaid i mi fynd adre. Mi fydd Mam yn gandryll os na fydda i'n cael o leia C yn fy arholiad

Mathemateg y tymor nesa. Mae hi'n gosod profion ychwanegol i mi yn ystod y gwyliau."

"Dydi hynny ddim yn swnio fel llawer o wyliau i mi!" meddai Mr Ffiaidd.

Ysgydwodd Alys ei phen. "Dydi Mam ddim yn credu mewn gwyliau." Cododd ar ei thraed. "Gobeithio eich bod chi wedi mwynhau'r selsig."

"Roedden nhw'n odidog." Gwenodd Mr Ffiaidd. "Diolch i ti. Caredigrwydd anarferol."

Nodiodd Alys, trodd ar ei sawdl, a dechrau rhedeg am adre. Fe fyddai'n cyrraedd yno cyn Mam petai hi'n dilyn y strydoedd cefn.

"Ffarwél!" galwodd Mr Ffiaidd o'r pellter.

4

Rwtsh

Dechreuodd Alys gerdded yn gyflymach rhag ofn iddi fod yn hwyr ar gyfer amser gwaith cartref. Doedd arni ddim eisiau i Mam ddechrau gofyn cwestiynau. Fe fyddai hi'n gandryll ulw petai hi'n deall bod Alys wedi treulio'r pnawn cyfan yn siarad â thrempyn. Ond dyna ni: mae gan oedolion ffordd o ddifetha pob dim bob amser.

Ond fe stopiodd Alys redeg pan oedd hi ar fin pasio siop Huw. *Dim ond un bar o siocled*, meddyliodd.

Alys oedd un o gwsmeriaid ffyddlonaf Huw. Y rheswm oedd ei bod hi wrth ei bodd â siocled. Huw oedd perchennog y siop leol. Dyn boliog, llawen oedd o, ac roedd ei sgwrs yr un mor felys a lliwgar â'r losin roedd o'n eu gwerthu. Ond doedd Alys ddim eisiau siocled heddiw: roedd hi eisiau cyngor.

A bar o siocled wrth fynd heibio, wrth gwrs. Un, neu ddau, o bosib. Fe fyddai'n drueni mynd o'r siop yn waglaw.

"A, Alys fach!" bloeddiodd Huw yn llawen wrth iddi gamu drwy'r drws. "Be fedra i ei gynnig i ti heddiw?"

"Helô, Huw," meddai Alys dan wenu. Roedd hi wastad yn gwenu wrth weld Huw. Y rheswm am hynny oedd ei fod o'n ddyn mor llawen ac annwyl, ac am ei fod o'n gwerthu siocled.

"Mae gen i Rolos am hanner pris!" cyhoeddodd Huw â balchder. "Maen nhw wedi mynd braidd yn hen ac wedi caledu. Mae'n bosib y colli di ambell ddant wrth eu cnoi nhw, ond mae'r pris yn rhesymol iawn!"

Rwtsh

"Hmm, gad i mi feddwl," meddai Alys, gan dyrchu drwy'r degau o silffoedd o losin.

"Mae gen i far o siocled ar ei hanner hefyd. Mi gei di'r hanner arall am ddeg ceiniog yn rhatach!"

"Dwi'n meddwl 'mod i am gael un o'r siocledi mintys 'ma, diolch, Huw."

"Os pryni di saith ohonyn nhw mi gei di un am ddim!"

"Dim diolch, Huw. Dim ond un." Rhoddodd ei harian ar y cownter i dalu amdano. 35 ceiniog. Bargen, yn enwedig o feddwl cymaint o foddhad roedd y siocled yn mynd i'w roi iddi.

"Ond Alys, dwyt ti ddim yn deall. Dyma gyfle arbennig ac unigryw i gael wyth bar o siocled am bris saith. Gwerth £2.80 am £2.45 yn unig. Bargen y ganrif."

"Dydw i ddim isio wyth bar o siocled, Huw," mynnodd Alys yn bendant. "Ond mae arna i angen cyngor."

"Dwi ddim yn meddwl 'mod i'n ddigon cyfrifol i roi cyngor i neb, Alys," meddai Huw yn dawel. "Ond mi dria i 'ngorau."

Roedd Alys yn ei seithfed nef yn siarad â Huw. Doedd o ddim yn rhiant nac yn athro, a fyddai o byth yn ei beirniadu hi. Ond er hyn, llyncodd Alys ei phoer ac anadlodd yn ddwfn gan ei bod hi ar fin dweud celwydd bychan iawn wrtho. "Wel, mae 'na ferch efo fi yn yr ysgol ..."

"Oes wir? Merch yn yr ysgol. Nid ti?"

"Na, rhywun arall."

"Wela i," meddai Huw.

Llyncodd Alys ei phoer eto ac edrych ar y llawr. Fedrai hi ddim edrych i fyw llygaid Huw wrth ddweud celwydd. "Wel, mae'r ferch 'ma, fy ffrind i, wedi dechrau siarad efo rhyw drempyn, ac mae hi wrth ei bodd yn siarad efo fo, ond mi fyddai ei mam hi'n gandryll petai hi'n dod i wybod am hyn, felly dydw i – yym, dydi hi – ddim yn gwybod be i'w wneud."

Edrychodd Huw ar Alys yn ddisgwylgar. "Ie?" gofynnodd. "Be sydd a wnelo hyn â fi?"

"Wel, Huw ..." meddai Alys, "wyt ti'n meddwl ei bod hi'n anghywir siarad efo trempyn?"

"Wel, dydi siarad efo pobol ddiarth ddim yn syniad da," meddai Huw. "A ddylet ti byth adael i rywun roi lifft i ti yn ei gar!"

"Dwi'n gweld," mwmialodd Alys yn siomedig.

"Ond rhywun digartref ydi trempyn," meddai Huw wedyn. "Mae llawer gormod o bobol yn cerdded heibio iddo heb ddweud na gwneud dim byd, a chogio nad ydyn nhw'n ei weld."

"Yn union!" ebychodd Alys. "Dyna ro'n i'n ei feddwl."

Gwenodd Huw. "Mi allai unrhyw un ohonon ni fod yn ddigartref ryw ddydd. Felly wela i ddim byd o'i le ar siarad efo trempyn, mwy na siarad efo unrhyw un arall."

"Diolch, Huw. Mi wna i ... yym, hynny yw, mi

ddyweda i wrthi hi – yr hogan yn yr ysgol."

"Da iawn. Be ydi'i henw hi?"

Aeth Alys yn welw. "Ym ... Carwyn! Na, Cari! Na, Carys! Ie, Carys. Carys, yn sicr. Carys."

"Ti ydi hi, 'de?" meddai Huw dan wenu.

"Ie," cyfaddefodd Alys yn syth.

"Rwyt ti'n hogan annwyl iawn, Alys. Mae'n wych o beth dy fod yn gwneud ymdrech i siarad efo trempyn. Mewn gwirionedd, ychydig iawn o wahaniaeth sydd rhyngddo fo a ti a fi."

"Diolch, Huw." Dechreuodd Alys wrido ychydig wrth dderbyn canmoliaeth.

"Rŵan, be fedri di ei brynu ar gyfer dy gyfaill digartref y Dolig 'ma?" gofynnodd Huw wrth iddo dyrchu drwy silffoedd ei siop anhrefnus. "Mae gen i setiau o offer sgwennu *Rapsgaliwn* na fedra i mo'u gwerthu i neb. Mi gei di un am £3.99. A dweud y gwir, os pryni di un, mi gei di ddeg set am ddim."

"Dwi ddim yn siŵr be fyddai trempyn yn ei

wneud efo set o bensiliau *Rapsgaliwn*, Huw, ond diolch beth bynnag."

"Ond Alys, mae hi'n set dda! Mae gen ti bensel *Rapsgaliwn*, miniwr *Rapsgaliwn*, pren mesur *Rapsgaliwn*, cas pensiliau *Rapsgaliwn* ..."

"Dwi'n deall yn iawn, Huw, does dim angen i ti restru mwy o bethau. Rhaid i mi fynd," meddai Alys, gan ochrgamu allan o'r siop ac agor ei bar o siocled wrth fynd.

"Dwi ddim wedi gorffen, Alys! Mae gen ti rwbiwr *Rapsgaliwn*, pad sgwennu *Rapsgaliwn*, cwmpawd *Rapsgaliwn* ... hei, tyrd yn ôl!"

"A be ydi hyn, eneth?" mynnodd Mam. Roedd hi'n sefyll yn stafell Alys yn aros amdani. Yn ei llaw roedd ganddi un o lyfrau ysgol Alys. Roedd hi'n ei ddal o fel petai o'n ddarn allweddol o dystiolaeth mewn achos llys.

"Fy llyfr Mathemateg i, Mam," meddai Alys, gan

gamu i'r stafell a'i chynffon rhwng ei choesau. Nid y ffaith nad oedd y gwaith yn y llyfr yn ddigon da oedd y broblem, ond y ffaith nad oedd 'na waith ynddo o gwbwl! Roedd y llyfr i fod yn llawn o rifau a hafaliadau diflas, ond yn lle hynny roedd o'n llawn i'r ymylon o eiriau a lluniau lliwgar. Roedd treulio cymaint o amser ar ei phen ei hun mewn stafell ddiflas wedi troi dychymyg Alys yn goedwig fawr, ddyrys. Lle anhygoel i ddianc iddo oedd y goedwig, ac roedd o'n llawer iawn mwy diddorol na bywyd go iawn. Roedd Alys wedi defnyddio'r llyfr i sgwennu stori am ferch fach yn cael ei gyrru i ysgol lle roedd yr holl athrawon yn fampirod. Nid yn annhebyg i'w hysgol ei hun. Credai Alys fod hynny'n filgwaith mwy diddorol na Mathemateg, ond roedd yn amlwg nad oedd Mam yn cytuno.

"Os llyfr Mathemateg ydi hwn i fod, be ydi'r holl luniau a'r stori wirion 'ma?" gofynnodd Mam. Un o'r cwestiynau hynny na ddylech chi eu hateb oedd hwnnw. "Dydi hi'n fawr o syndod dy fod wedi gwneud mor wael yn dy arholiad Mathemateg. Rhaid dy fod di wedi gwastraffu oriau yn y dosbarth yn sgwennu ... yn sgwennu'r rwtsh 'ma. Ti wedi fy siomi i'n ofnadwy, Alys."

Teimlodd Alys ei phen yn syrthio'n llipa wrth i Mam weiddi arni hi. Doedd hi ddim yn meddwl

bod y stori'n *rwtsh*. Ond doedd hi ddim am ddadlau
â Mam.

"Wyt ti wedi mynd yn fud? Dywed rywbeth!"
gwaeddodd Mam.

Ysgydwodd Alys ei phen. Roedd hi eisiau dianc
i rywle pell, pell i ffwrdd, a hynny am yr ail waith y
diwrnod hwnnw.

"Wel, dyma be dwi'n ei feddwl o'r stori," meddai
Mam wrth iddi ddechrau rhwygo'r llyfr yn ddarnau.

"N-n-naa, plis, peidiwch ..." ymbiliodd Alys.

"Na, na, na! Dydw i ddim yn talu miloedd o
bunnoedd i ti fynd i'r ysgol breifat i ti gael
gwastraffu amser yn sgwennu rwtsh fel 'ma! Mae o'n
mynd i'r bin."

Ond doedd y llyfr ddim mor hawdd ei rwygo ag
roedd Mam wedi meddwl, ac fe gymerodd sawl tro
iddi ei rwygo'n ei hanner. Ond cyn pen dim o dro
roedd y llyfr yn ddegau o ddarnau mân. Yn gonffeti.
Wrth i Mam daflu'r holl ddarnau ar lawr, gwasgodd

Alys ei llygaid yn dynn i drio'i rhwystro'i hun rhag crio.

"Wyt ti isio bod fel Dad? Yn gweithio mewn ffatri geir? Os gwnei di weithio'n galed ar dy Fathemateg a pheidio â chael dy hudo gan ryw straeon hurt, falle y cei di fywyd gwell yn y pen draw! Gwastraffu dy fywyd wnei di fel arall, yn union fel dy dad. Ai dyna be ti isio?"

"Wel, dwi ..."

"Rhag dy gywilydd di'n torri ar fy nhraws i! Y fath haerllugrwydd!" Doedd Alys ddim yn hollol siŵr beth oedd ystyr *haerllugrwydd*, ond roedd hi'n gwybod nad oedd o'n beth da. Gadawodd Mam y stafell gan gau'r drws yn glep ar ei hôl. Eisteddodd Alys yn ddigalon ac yn ddagreuol ar ei gwely. Wrth iddi gau ei llygaid a chladdu ei phen yn ei dwylo, meddyliodd am Mr Ffiaidd, heb neb ond Gelert yn gwmni. Doedd Alys ddim yn ddigartref fel Mr Ffiaidd, ond teimlai'n ddigartref yn ei chalon.

5

Rhedwch fel y gwynt!

Bore Llun. Bore cyntaf gwyliau'r Nadolig. Diwrnod nad oedd Alys wedi bod yn edrych ymlaen ato. Doedd ganddi hi ddim ffrindiau i yrru negeseuon atyn nhw na chariad i'w ffonio, ond *roedd* 'na un person yr hoffai hi ei weld.

Erbyn i Alys gyrraedd y fainc, roedd hi'n bwrw'n drwm, ac roedd hi'n difaru na ddaeth hi ag ymbarél gyda hi.

"Doedd Gelert a fi ddim yn disgwyl dy weld di eto, Alys," meddai Mr Ffiaidd. Er gwaetha'r glaw, roedd ei lygaid yn disgleirio wrth weld ei ymwelydd annisgwyl.

"Mae'n ddrwg gen i 'mod i wedi rhedeg i ffwrdd fel yna," meddai Alys.

"Paid â phoeni, dwi wedi hen faddau i ti," chwarddodd Mr Ffiaidd.

Eisteddodd Alys wrth ei ymyl. Estynnodd ei llaw i roi anwes i Gelert, ac ar ôl gwneud hynny fe sylweddolodd fod cledr ei llaw yn ddu fel tar. Sychodd ei llaw ar ei throwsus yn sydyn, a chrynod wrth i ddiferyn o law syrthio ar ei gwar a llifo i lawr cefn ei chôt.

"O na, rwyt ti'n oer!" sylwodd Mr Ffiaidd. "Be am fynd i ymochel rhag y gawod mewn caffi a chael latte bach i'w yfed?"

"Yym ... iawn," meddai Alys yn amheus. Doedd hi ddim yn hollol siŵr a oedd mynd â thrempyn i gaffi'n syniad da. Wrth iddyn nhw gerdded drwy ganol y dref, roedd y glaw yn teimlo'n rhewllyd o oer, ac yn eu dyrnu fel cenllysg.

Ar ôl cyrraedd y caffi, syllodd Alys drwy'r ffenest.

Er bod honno wedi stemio, gallai weld bod y caffi'n brysur fel nyth cacwn. "Dwi ddim yn meddwl bod 'na le yna," meddai. Yn anffodus, roedd y caffi'n llawn i'r ymylon o siopwyr Nadolig diamynedd wedi dod i gysgodi rhag tywydd oer a gwlyb Cymru.

"Mi allwn ni drio," meddai Mr Ffiaidd, gan godi Gelert a cheisio ei guddio o dan ei gôt frethyn fawr.

Agorodd Mr Ffiaidd y drws a gwasgodd y ddau ohonyn nhw i mewn drwy'r drws. Mae caffis fel arfer yn llawn o arogleuon hyfryd – coffi a siocled a chacen a chnau – ond wnaeth hynny ddim para'n hir. O fewn dim o dro, arogl Mr Ffiaidd oedd yn llenwi'r caffi. Aeth popeth yn dawel am funud. Wedyn, daeth ton o banig.

Dechreuodd pobol lamu am y drws, gan wthio hancesi dros eu cegau a'u trwynau i'w hamddiffyn rhag y drewdod ofnadwy.

"Rhedwch fel y gwynt!" sgrechiodd un aelod o'r staff, ac yn syth bin fe roddodd pawb y gorau i'r hyn

roedden nhw'n ei wneud a ffoi nerth eu traed allan
i'r stryd fawr.

"Mae hi i'w gweld yn gwagio 'ma," sylwodd Mr
Ffiaidd.

Cyn pen dim, dim ond Alys a Mr Ffiaidd oedd
yn y caffi. *Falle nad ydi'r drewdod yn ddrwg i gyd*,
meddyliodd Alys. Os oedd drewdod Mr Ffiaidd yn
medru gwagio caffi cyfan, beth arall allai o ei

wneud? Gwagio Parc Oakwood fel na fyddai'n rhaid iddi giwio ar gyfer unrhyw reid? Gwasgaru'r ciw yn siop Huw fel na fyddai hi'n gorfod aros i gael ei losin? Neu, yn well byth, petai hi'n mynd â fo i'r ysgol ryw dydd, falle y byddai'n rhaid i'r brifathrawes yrru'r disgyblion adre ac fe fyddai pawb yn cael mynd i chwarae!

"Eistedda di'n fa'ma, 'mechan i," meddai Mr Ffiaidd. "Rŵan, be hoffet ti i'w yfed?"

"Yym ... cappuccino, os gwelwch yn dda," atebodd Alys, gan geisio swnio'n soffistigedig.

"Dyna rydw i am ei gael hefyd." Ond doedd neb wrth y cownter, felly fe sleifiodd Mr Ffiaidd yr ochr draw a dechrau helpu'i hun. "Dyma ni, dau gappuccino ar y ffordd!"

Poerai a hisiai'r peiriannau am funud neu ddau, yna fe ymlwybrodd Mr Ffiaidd yn ôl tua'r bwrdd yn cario dau gwpanaid o hylif du rhyfedd. O edrych arno'n fanwl, roedd o'n edrych fel llysnafedd du, ond roedd Alys wedi cael magwraeth ry dda i gwyno am ddim byd, felly dechreuodd ei sipian yn araf. "Mmm ... hyfryd!" meddai'n llipa braidd.

Roedd Mr Ffiaidd yn troi ei lysnafedd gan ddefnyddio llwy arian gain oedd ganddo yn ei boced gesail. Syllodd Alys ar y llwy'n frysiog a sylwodd fod 'na dair llythyren fechan wedi'u naddu arni. Ceisiodd ddarllen y tair llythyren, ond roedd Mr Ffiaidd wedi rhoi'r llwy yn ôl yn ei boced cyn iddi allu eu gweld yn iawn. Beth oedd ystyr y llythrennau, tybed? Oedd Mr Ffiaidd wedi dwyn y llwy yn ystod ei yrfa fel lleidr proffesiynol, tybed?

"Felly, Alys," meddai Mr Ffiaidd, gan dorri ar draws ei synfyfyrion. "Mae hi'n wyliau'r Nadolig, dydi?" Cymerodd lond ceg o'r hylif du, gan ddal dolen y cwpan yn arbennig o grand rhwng dau fys. "Pam nad wyt ti gartref efo dy rieni yn addurno'r goeden neu'n lapio anrhegion?"

"Wel, wn i ddim sut i esbonio ..." Doedd yr un o deulu Alys yn rhai da iawn am esbonio eu teimladau. I Mam, pethau i beri cywilydd oedd emosiynau, neu bethau oedd yn dangos gwendid mewn person.

"Cymer dy amser, 'mechan i."

Anadlodd Alys yn ddwfn, ac fe lifodd y cyfan allan. Fe ddechreuodd fel nant fechan, ond erbyn y diwedd roedd yn afon fyrlymus o emosiwn. Dywedodd Alys am y troeon roedd Mam a Dad yn ffraeo, a'r tro pan glywodd hi Mam yn dweud wrth Dad, "y merched ydi'r unig reswm dwi'n dal efo ti!"

Dywedodd Alys am ei chwaer fach. Dywedodd sut roedd Siân yn gwneud bywyd yn uffern iddi hi. Sut nad oedd unrhyw beth roedd Alys yn ei wneud yn ddigon da. Dywedodd am y tro pan ddaeth hi adre o'r dosbarth crochenwaith wedi gwneud potyn blodau, a Mam yn cuddio'r potyn yng nghefn y wardrob. Ond pan ddaeth Siân â photyn blodau adre, er ei fod o'n hyll fel pechod, fe wnaeth Mam ei osod ar ganol y bwrdd bwyd i bawb ei weld.

Dywedodd Alys am y ffordd roedd Mam wastad yn ceisio ei pherswadio i golli pwysau. Yn ddiweddar, roedd yr enwau roedd Mam yn eu galw arni wedi gwaethygu – wedi mynd o 'bochdew' i 'bolgi' i 'morfil'. Efallai fod Mam yn ceisio codi cywilydd arni er mwyn ei pherswadio i fwyta llai a gwneud mwy o ymarfer corff. Ond mewn gwirionedd, roedd yr holl enwau cas yn gwneud Alys yn fwy ac yn fwy digalon, ac roedd hynny'n gwneud iddi fwyta mwy er mwyn cael rhyw fath o gysur. Roedd llenwi ei bol â sglodion, creision a siocled yn teimlo fel cael cwtsh mawr cynnes.

Dywedodd am y troeon pan oedd hi wedi gobeithio y byddai Dad yn achub ei cham hi, ac yn dweud wrth Mam am beidio â bod mor filain. Dywedodd nad oedd ganddi hi lawer o ffrindiau, a'i bod hi'n boenus o swil. Dywedodd am ei hoffter o ddychmygu straeon newydd, ond bod hynny'n gwylltio Mam. A dywedodd sut roedd Tracey'n gwneud bywyd yn uffern iddi yn yr ysgol.

Roedd hi'n rhestr hir, hir, ond fe wrandawodd Mr Ffiaidd yn astud tra oedd y gerddoriaeth Nadoligaidd yn byrlymu yn y cefndir. O feddwl mai dim ond ei gi oedd ganddo'n gwmni drwy'r dydd bob dydd, roedd o'n rhyfeddol o ddoeth a da am wrando. A dweud y gwir, roedd o fel petai o wrth ei fodd yn cael cyfle i wrando. Doedd pobol ddim yn tueddu i siarad â Mr Ffiaidd, ac roedd o'n ymddangos yn falch o gael sgwrs.

"Dywed wrth dy fam sut rwyt ti'n teimlo," meddai Mr Ffiaidd yn bwyllog. "Dwi'n sicr ei bod hi'n dy garu di ac y byddai'n gas ganddi dy weld di'n drist. Ceisia ddod o hyd i rywbeth difyr i'w wneud efo dy chwaer. A pham na ddywedi di wrth dy dad sut rwyt ti'n teimlo hefyd?"

Yn olaf, dywedodd Alys wrth Mr Ffiaidd am y tro y rhwygodd Mam ei llyfr Mathemateg a'r stori am y fampirod yn ddegau o ddarnau mân. Roedd yn rhaid iddi drio'n galed iawn i beidio â chrio.

"Mae hynny'n ofnadwy, 'mechan i," meddai Mr Ffiaidd. "Mae'n rhaid dy fod di wedi torri dy galon."

"Dwi'n ei chasáu hi," meddai Alys. "Dwi'n casáu Mam."

"Ddylet ti ddim dweud hynna," meddai Mr Ffiaidd.

"Ond dwi'n ei olygu o."

"Wrth gwrs dy fod di'n flin iawn efo hi, ond *mae* hi'n dy garu di, dim ond nad ydi hi'n gwybod sut i ddangos hynny."

"Falle." Cododd Alys ei hysgwyddau – doedd hi ddim mor siŵr. Ond ar ôl bwrw ei bol a rhannu ei gofidiau, roedd hi'n teimlo fymryn yn well. "Diolch o galon am wrando arna i," meddai.

"Mae'n gas gen i weld merched ifanc fel ti'n teimlo'n drist," meddai Mr Ffiaidd. "Falle 'mod i'n hen, ond dwi'n gallu cofio sut beth ydi bod yn ifanc. Gobeithio 'mod i wedi bod o ryw help."

"Llawer iawn o help."

Gwenodd Mr Ffiaidd, cyn tywallt diferyn olaf y llysnafedd i lawr ei wddw. "Hyfryd! Rŵan, mi fasai'n well i ni dalu am ein diodydd." Ymbalfalodd yn ei bocedi am arian mân. "Go drapia," meddai, "fedra i ddim darllen y fwydlen heb fy sbectols. Duwcs, mi adawa i chwe cheiniog. Mi ddylai hynny fod yn ddigon. A dwy geiniog dros ben. Mi fyddan nhw'n hapus efo hynny. Rŵan, gwell i ni ei throi hi am adre, 'mechan i."

Roedd y glaw wedi peidio erbyn iddyn nhw adael y siop goffi. Brasgamodd y ddau'n braf i lawr y stryd a'r ceir yn hymian yn fodlon wrth lithro heibio.

"Tyrd di i'r ochr yma," meddai Mr Ffiaidd.

"Pam?"

"Mi ddylai'r dyn gerdded yr ochr agosa at y traffig bob tro, a'r ferch ar yr ochr arall."

"Wir?" gofynnodd Alys. "Pam?"

"Wel," eglurodd Mr Ffiaidd, "mae'r ochr yma'n fwy peryglus gan mai dyma'r ochr agosa at y ceir ar y ffordd. Ond mae o'n draddodiad hŷn na hynny. Ers talwm, roedd pobol yn taflu cynnwys y lle chwech allan drwy'r ffenest, a'r person ar yr ochr yma oedd fwya tebygol o gael ei daro a'i wlychu!"

"Am beth afiach i'w wneud!" ebychodd Alys.

Chwarddodd Mr Ffiaidd. "Ie, ond mae hynny amser maith yn ôl, 'mechan i – yn bell cyn fy amser i, hyd yn oed! Yr unfed ganrif ar bymtheg, a bod yn fanwl. Rŵan, Alys fach, mae trefn a thraddodiad yn mynnu dy fod di'n cyfnewid lle efo fi!"

Roedd cwrteisi hen ffasiwn Mr Ffiaidd yn gwneud i Alys wenu. Ufuddhaodd i'w orchymyn ac aeth i gerdded yr ochr draw i'r trempyn caredig. Cerddodd y ddau heibio'r rhesi o siopau, a phob siop yn ceisio curo'r un ddiwethaf o ran nifer yr addurniadau Nadolig oedd wedi'u gwthio yn y ffenest. Ymhen dim fe welodd Alys rywun yn cerdded tuag atyn nhw yn cario tua hanner cant o fagiau trwm. Tracey.

"Gawn ni groesi'r ffordd, plis? Yn sydyn?" sibrydodd Alys yn ofnus.

"Pam, 'mechan i? Be sy'n bod?"

"Y ferch 'na o'r ysgol ro'n i'n sôn amdani. Tracey. Mae hi'n dod tuag aton ni – fanna."

"Yr un roddodd y papur 'na ar dy gefn di?"

"Ie, hi."

"Rhaid i ti sefyll yn dalsyth yn ei hwyneb hi," mynnodd Mr Ffiaidd. "Boed iddi hi fod yr un sy'n croesi i'r ochr arall!"

"Na ... peidiwch â dweud dim byd wrthi hi, plis," plediodd Alys.

"Pwy ydi hwn? Dy gariad newydd di?" chwarddodd Tracey. Doedd o ddim yn chwerthiniad go iawn – ddim yn chwerthiniad naturiol. Mae gan chwerthiniad naturiol sŵn hyfryd. Sŵn erchyll oedd gan hwn. Sŵn hyll.

Wnaeth Alys ddim dweud dim byd, dim ond edrych ar ei thraed.

"Mae Dadi newydd roi £550 i mi i'w wario ar anrheg Dolig i mi fy hun," meddai Tracey'n falch. "Dwi newydd wario'r cyfan yn y siop ddillad. Trueni dy fod di'n rhy dew i ffitio unrhyw un o'r dillad."

Ochneidiodd Alys. Roedd hi wedi hen arfer â geiriau cas Tracey.

"Pam rwyt ti'n gadael iddi siarad fel yna efo ti, Alys?" gofynnodd Mr Ffiaidd.

"Dydi hyn yn ddim o'ch busnes chi, Taid," poerodd Tracey'n ddirmygus. "Ti'n treulio dy amser sbâr yng nghwmni trempyn drewllyd, wyt ti, Alys? Wel, am drist! Faint o amser gymerodd i ti ddeall bod y papur 'na wedi bod ar dy gefn di drwy'r pnawn?"

"Wnaeth hi mo'i weld o," eglurodd Mr Ffiaidd yn araf a phendant. "Y *fi* welodd o. A doedd o ddim yn ddoniol."

"Oedd, mi oedd o!" meddai Tracey. "Roedd yr holl ferched eraill yn ei weld o'n ddigri iawn!"

"Wel, maen nhw i gyd mor ofnadwy â ti, felly," meddai Mr Ffiaidd.

"*Be*?!" ebychodd Tracey. Doedd hi ddim wedi arfer â chael rhywun yn ei hateb hi'n ôl.

"Maen nhw i gyd mor ofnadwy â ti felly," meddai Mr Ffiaidd drachefn, hyd yn oed yn fwy pendant. "Rwyt ti'n hen fwli annifyr ac anghynnes." Edrychodd Alys ar Mr Ffiaidd yn betrus. Roedd yn gas ganddi hi ffraeo.

I wneud pethau'n waeth, fe gamodd Tracey'n nes at Mr Ffiaidd ac edrych ym myw ei lygaid. "Dywedwch hynny yn fy wyneb i, y bwbach bach!"

Am funud, aeth Mr Ffiaidd yn hollol dawel. Yna, agorodd ei geg yn llydan er mwyn torri'r gwynt mwyaf aflan a glywyd erioed.

"BBBBBBBBBBBBBBB BBBBBBBBBBBBBYY

YYYYYYYYYYYYYYY
YYYYYYYYYYYYYYYY
YYYYYYYYYRRRRR
RRRRRRRRRRRRRR
RRRRRRRRPPPPPP
PPPPPPPPPPPPPP
PPPPPPPPPPPP!!
!!!!!!!!!!!!!!!!!!!!!!!!!!!!!
!!!!!!"

Trodd wyneb Tracey'n wyrdd. Roedd hi fel petai hi wedi cael ei llyncu gan gorwynt. Roedd holl ddrewdod y coffi a'r selsig a'r llysiau wedi pydru wedi cyfuno i greu un arogl anhygoel o ffiaidd. Ar ôl dod ati'i hun, trodd Tracey ar ei sawdl a rhedeg i ffwrdd nerth ei thraed, gan ollwng y rhan fwyaf o'i bagiau siopa yn ei brys.

"Roedd hynna mor ddoniol!" chwarddodd Alys.

"Mae'n ddrwg gen i. Wnes i ddim trio torri gwynt. Sôn am anghwrtais. Rhaid bod y coffi wedi gwneud rhywbeth i'r hen stumog 'ma. Diar mi! Rŵan, y tro nesa bydd rhywun yn bod yn gas, rhaid i ti ddal dy dir, Alys fach. Fedra i ddim gwneud hyn ar dy ran bob tro. Os na wnei di hynny, mi fydd y bwli'n ennill bob tro."

"Ocê, mi dria i fy ngorau," sibrydodd Alys. "Felly ... mi wela i chi yfory."

"Os wyt ti wir isio," atebodd Mr Ffiaidd.

"Mi fyddwn i wrth fy modd."

"Ac mi fyddwn innau wrth fy modd hefyd!" meddai Mr Ffiaidd, a'i lygaid yn disgleirio a'i wên yn llydan.

Y munud hwnnw fe daranodd clamp o gar 4 x 4 heibio, ac wrth i'r olwynion daro pwll o ddŵr fe laniodd ton fawr o ddŵr budr dros Mr Ffiaidd, a'i adael yn wlyb diferol o'i gorun i'w sawdl.

"A dyna pam, 'mechan i," meddai Mr Ffiaidd, "y dylai'r dyn gerdded ar yr ochr yma i'r pafin bob tro!"

6

Prydderch A.C.

Y bore trannoeth agorodd Alys ei llenni'n llydan agored. Pam roedd 'na lythyren 'P' a llythyren 'L' fawr ar ei ffenest? Gwisgodd ei gŵn nos ac fe aeth allan i ymchwilio.

Yn fuan iawn, deallodd beth oedden nhw. Roedd 'PLEIDLEISIWCH DROS PRYDDERCH!' mewn llythrennau bras, lliwgar i'w weld ar draws ffenestri'r tŷ. Roedd Elisabeth y gath, druan, yn gwisgo rosét etholiadol gyda'r geiriau 'Prydderch A.C.' ar ei choler.

Yna, ymddangosodd Siân o'r tŷ, gan sgipio mewn modd hynod o syrffedus.

"I ble ti'n mynd?" gofynnodd Alys.

"Gan mai fi ydi ei hoff ferch hi, mae Mam wedi gofyn i *mi* ddosbarthu'r taflenni 'ma i holl dai'r dre. Mae hi'n ymgeisydd yn yr etholiad cyffredinol, ti'n cofio?"

"Gad i mi weld un ohonyn nhw," meddai Alys gan estyn ei llaw i fachu un o'r taflenni. Doedd y ddwy chwaer byth yn dweud 'os gweli di'n dda' na 'diolch' wrth ei gilydd.

Bachodd Siân y daflen yn ôl. "Dwi ddim am wastraffu taflen arnat ti!" ysgyrnygodd.

"Gad i mi weld!" mynnodd Alys gan dynnu'r daflen yn ôl. Dyna un o fanteision bod yn chwaer fawr – roedd hi'n gryfach na'i chwaer fach. Cerddodd Siân i ffwrdd yn bwdlyd gyda gweddill y taflenni. Aeth Alys yn ôl i'r tŷ i astudio'r daflen, a'i slipers yn wlyb oherwydd gwlith y bore ar y gwair. Roedd Mam yn paldaruo byth a beunydd am yr hyn y byddai hi'n ei wneud petai hi'n arwain y wlad, ond roedd Alys yn gweld y peth mor ddiflas roedd hi'n dewis anwybyddu ei mam, a gadael i'w dychymyg redeg yn rhydd yn lle gwrando arni.

Ar flaen y daflen roedd 'na lun o Mam yn edrych yn ofnadwy o ddifrifol, yn gwisgo ei pherlau gorau, a digon o gŵyr yn ei gwallt i wneud dwsin o ganhwyllau. Y tu mewn roedd 'na restr hirfaith o bolisïau:

1   Rhaid i bob plentyn dan 30 oed fod yn y tŷ erbyn 8 pm ac yn ei wely a'r golau wedi'i ddiffodd erbyn 9 pm.

2   Bydd gan yr heddlu'r hawl i arestio unrhyw un sy'n siarad yn rhy swnllyd yn gyhoeddus.

3   Bydd unrhyw un sy'n taflu sbwriel yn cael ei alltudio i wlad arall.

4   Bydd gwisgo legins mewn mannau cyhoeddus yn anghyfreithlon gan eu bod nhw'n goman ofnadwy.

5   Bydd yr anthem genedlaethol yn cael ei chanu unwaith yr awr ar sgwâr y dref. Rhaid i bawb sefyll ar gyfer hyn. Nid yw bod yn gaeth i gadair olwyn yn ddigon o reswm dros ddangos amarch.

6   Rhaid i bob ci gael ei gadw ar dennyn drwy'r amser. Yn yr awyr agored ac yn y cartref.

7   Rhaid i bawb sy'n mynychu'r pwll nofio wisgo sanau arbennig rhag ofn i bawb gael feriwcas.

8   Bydd y pantomeim Nadolig yn cael ei ganslo. Mae llawer gormod o jôcs ynddo am bennau ôl a rhannau eraill o'r corff. Does dim byd yn ddoniol am ben-ôl. Mae gan bob un ohonon ni ben-ôl, ac mae o'n rhan hanfodol o'r corff.

9   Rhaid i bawb fynd i'r eglwys neu'r capel deirgwaith ar y Sul. Ac mae'n rhaid i bawb ganu'r emynau gydag arddeliad, nid rhyw feimio gwag a diog.

10 Rhaid i ffonau symudol chwarae cerddoriaeth glasurol wrth ganu – Mozart neu Beethoven, er enghraifft, ac nid rhyw hen ganu pop modern.

11 Ni fydd pobl ddi-waith yn cael hawlio budd-daliadau. Y nhw eu hunain sydd ar fai am fod yn ddiog. Pam ddylen ni weithio'n galed bob dydd er mwyn gadael iddyn nhw ddiogi?

12 Bydd delwau efydd o aelodau o deulu brenhinol Lloegr yn cael eu codi yn y parc chwarae.

13 Bydd tatŵs yn cael eu gwneud yn anghyfreithlon. Bydd yn rhaid i unrhyw un a

chanddo datŵ dalu am gael ei ddileu'n broffesiynol.

14 Bydd yn rhaid i siopau sglodion ddarparu platiau, cyllyll, ffyrc a gwydrau gwin.

15 Bydd y llyfrgell leol yn cynnwys llyfrau T. Llew Jones yn unig.

16 Mae gemau pêl-droed yn y parc yn niwsans. O hyn allan, dim ond peli dychmygol sy'n dderbyniol i'w defnyddio.

17 Dim ond ffilmiau hapus fydd ar gael i'w rhentu o'r siop leol. Hynny yw, ffilmiau am bobl grand o'r hen ddyddiau.

18 Er mwyn delio â phroblem yr hwdis, bydd hwd pob siwmper yn cael ei dorri ymaith.

19 Mae gemau cyfrifiadur yn lladd yr ymennydd. Yr unig amser y bydd gemau cyfrifiadur yn cael eu caniatáu fydd rhwng 4 pm a 4:01 pm.

20 Yn olaf, bydd yr holl bobl ddigartref yn cael eu symud oddi ar ein strydoedd. Maen nhw'n

anharddu ein cymunedau ni. Ac, yn waeth byth, maen nhw'n drewi.

Teimlodd Alys ei chalon yn suddo i'w thraed wrth iddi ddarllen y brawddegau olaf. *Beth am fy nghyfaill newydd, Mr Ffiaidd? Be sy'n mynd i ddigwydd iddo? A be am Gelert? Os bydd o'n cael ei symud oddi ar y stryd, i ble'r aiff o?*

Ymlwybrodd Alys yn araf ac yn ddigalon i'w stafell. Eisteddodd ar ei gwely ac edrych drwy'r ffenest ar yr awyr fawr y tu allan. Gan ei bod hi mor swil a dihyder, doedd hi ddim yn un dda iawn am wneud ffrindiau newydd. Ac rŵan roedd ei ffrind newydd, Mr Ffiaidd, ar fin cael ei orfodi i adael y dref. Am byth, efallai. Syllodd yn galetach ar yr awyr las ddiderfyn. Yna, cyn i'w meddwl ddechrau crwydro a mynd yn freuddwydiol i gyd, edrychodd i lawr ar yr ardd. Roedd yr ateb yno o flaen ei llygaid.

Y sied.

7

Bwced yn y gornel

Roedd yn rhaid i'r peth fod yn hollol gyfrinachol. Arhosodd Alys iddi nosi cyn arwain Mr Ffiaidd a Gelert i lawr y stryd heb wneud unrhyw smic. Llithrodd y tri drwy'r giât ac i mewn i'r ardd.

"Dim ond sied ydi hi, mae arna i ofn," ymddiheurodd Alys ar ôl iddyn nhw gyrraedd cartref newydd Mr Ffiaidd. "Does 'na ddim stafell molchi *en suite* yn anffodus, ond mae 'na fwced yn y gornel, y tu ôl i'r peiriant torri gwair yn fanna. Mi allwch chi ddefnyddio hwnnw os byddwch chi angen mynd i'r tŷ bach yng nghanol nos ..."

"Wel, rwyt ti'n bod yn anarferol o garedig eto, Alys fach. Diolch o galon iti," meddai Mr Ffiaidd yn wên o glust i glust. Roedd hyd yn oed Gelert fel petai'n gwenu. "Rŵan," meddai Mr Ffiaidd, "wyt ti'n siŵr nad ydi dy rieni'n poeni 'mod i yma? Mi fyddai'n gas gen i aros yma'n ddiwahoddiad."

Llyncodd Alys ei phoer cyn dweud celwydd bychan arall. "Na, na ... dydyn nhw ddim yn poeni o gwbwl, siŵr iawn. Maen nhw'n bobol brysur ac maen nhw'n ymddiheuro na allan nhw fod yma i'ch croesawu chi."

Roedd Alys wedi dewis yr amser perffaith i symud Mr Ffiaidd i'w gartref newydd. Fe wyddai fod Mam wrthi'n brysur yn ymgyrchu ar gyfer yr etholiad, ac roedd Dad wedi mynd i nôl Siân o'i gwers reslo.

"Wel, mi fyddwn i wrth fy modd yn dod i'w nabod nhw'n iawn," meddai Mr Ffiaidd, "i weld pwy'n union sydd wedi magu rhywun hyfryd, caredig ac ystyriol fel ti. Mi fydda i'n llawer cynhesach yma nag o'n i ar y fainc."

Gwenodd Alys yn swil ar Mr Ffiaidd. Doedd hi ddim wedi arfer â derbyn canmoliaeth. "Mae'n ddrwg gen i am yr holl focsys cardfwrdd 'ma," meddai, gan geisio symud ambell un i wneud mwy o le i Mr Ffiaidd orwedd. Ond fe stopiodd yn sydyn wrth weld beth oedd yn un o'r bocsys. Hen gitâr drydan. Oedodd am funud, yna fe ddechreuodd dyrchu drwy'r bocs, a gweld pentwr o hen CDs. Yr un CD oedd pob un ohonyn nhw, sef albwm o'r enw *Dannedd y Diafol* gan Seirff Uffern.

"Glywsoch chi am y band 'ma erioed?" gofynnodd Alys i Mr Ffiaidd.

"Naddo. Dydw i ddim yn gyfarwydd ag unrhyw fand ar ôl 1958, mae arna i ofn."

Astudiodd Alys glawr y CD. Roedd 'na lun o bedwar dyn ifanc arno – pedwar dyn â gwalltiau hir, blêr ac yn gwisgo siacedi lledr. Syllodd Alys ar y

Mr Ffiaidd

chwaraewr gitâr. Roedd o'n edrych yn goblyn o debyg i Dad, dim ond bod gan hwn lond pen o wallt du cyrliog.

"Bobol bach, choelia i fawr!" meddai Alys. "Dad ydi hwn!"

Wyddai Alys ddim tan hynny fod Dad wedi bod yn aelod o fand roc. A bod ganddo wallt cyrliog! Doedd hi ddim yn gwybod beth oedd yn ei synnu fwyaf – y syniad ohono gyda mop o wallt neu'r syniad ohono'n chwarae'r gitâr drydan.

"Ie wir?" gofynnodd Mr Ffiaidd.

"Ie, dwi'n meddwl," atebodd Alys. "Mae o'r un ffunud â fo, beth bynnag." Roedd hi'n dal i syllu ar y clawr mewn cyfuniad rhyfedd o falchder a chywilydd.

"Mae gan bawb ei gyfrinachau, Alys. Rŵan, be sy'n rhaid i rywun ei wneud am baned neu frechdan jam yn y lle 'ma? Oes 'na gloch i mi ei chanu neu rywbeth?"

Edrychodd Alys arno mewn syndod. Doedd hi ddim wedi meddwl y byddai'n rhaid iddi fwydo a thendio ar Mr Ffiaidd yn ogystal â chynnig llety iddo.

"Na, does 'na ddim cloch," meddai. "Ym ... welwch chi'r ffenest fyny'n fanna? Dyna fy stafell wely i."

"Be amdani hi?"

"Wel, os byddwch chi angen unrhyw beth, pam na wnewch chi dywynnu'r hen fflachlamp 'na ar y ffenest? Yna mi fedrwn i ddod ac ... yym ... gweini bwyd i chi."

"Perffaith!" ebychodd Mr Ffiaidd.

Roedd bod mewn lle cyfyng, caeedig fel y sied gyda Mr Ffiaidd am gyfnod hir yn ei gwneud hi'n anodd i Alys anadlu. Roedd o'n drewi'n waeth nag arfer y diwrnod hwnnw. Roedd o'n ffiaidd hyd yn oed yn ôl safonau Mr Ffiaidd. "Fyddech chi'n hoffi bath cyn i'r teulu ddod adre?" gofynnodd Alys yn awgrymog. Edrychodd Gelert yn obeithiol ar ei feistr.

"Gad i mi feddwl ..."

Gwenodd Alys arno i'w annog.

"A dweud y gwir, dwi'n meddwl mai aros am ryw fis arall fyddai orau, ond diolch am y cynnig."

"O ..." ochneidiodd Alys. "Fedra i nôl unrhyw beth i chi?"

"Oes 'na fwydlen ar gyfer te pnawn, tybed?" gofynnodd Mr Ffiaidd yn obeithiol. "Cacen, brechdan samwn, sgon efallai?"

"Yym ... na," meddai Alys. "Ond mi gewch chi baned a bisged os hoffech chi. Ac mae'n bosib fod gen i fwyd cath ar gyfer Gelert."

"Dwi'n eitha siŵr mai ci ydi Gelert, ac nid cath," mynnodd Mr Ffiaidd.

"Dwi'n gwybod, ond cath sy gynnon ni, felly dim ond bwyd cath sydd yn y tŷ."

"Wel, falle y gallet ti biciad i siop Huw fory i

brynu 'chydig o fwyd ci i Gelert. Mae Huw yn gwybod pa un ydi ei ffefryn o." Tyrchodd Mr Ffiaidd yn ei bocedi. "Dyma ti – darn deg ceiniog. Mi gei di gadw'r newid."

Edrychodd Alys ar y darn bach o fetel yn ei llaw. Nid darn deg ceiniog oedd o, ond botwm côt.

"Diolch o galon i ti, Alys fach. A chofia roi cnoc ar ddrws y sied wrth ddod yn ôl rhag ofn 'mod i wrthi'n newid i fy mhyjamas."

Be dwi wedi'i wneud?! meddyliodd Alys wrth iddi ymlwybro yn ôl am y tŷ. Roedd ei phen hi'n llawn o straeon dychmygol am Mr Ffiaidd, ond doedd yr un ohonyn nhw'n gwneud llawer o synnwyr rywsut. Ai gofodwr sydd wedi syrthio'n ôl i'r Ddaear ac wedi colli'i gof ydi o? Neu ai carcharor sydd wedi dianc o'r carchar ar ôl treulio ugain mlynedd dan glo, er ei fod o'n ddieuog? Neu, yn well byth, ai môr-leidr modern sydd wedi cael ei orfodi gan y môr-ladron eraill i gerdded y planc, ond sydd wedi llwyddo i osgoi'r siarcod ac wedi nofio'n ôl i'r lan?

Un peth roedd hi'n ei wybod i sicrwydd oedd ei fod o'n ddrewllyd. Yn ddrewllyd ofnadwy. A dweud y gwir, roedd hi'n dal i allu clywed y drewdod, er bod y sied ugain llath i ffwrdd. Roedd y blodau yn yr ardd wedi dechrau gwywo'n araf, ac roedden nhw'n gwyro oddi wrth y sied mewn ymdrech i osgoi'r drewdod. *O leia mae o'n saff*, meddyliodd Alys, *yn gynnes ac yn sych, am heno o leia.*

Erbyn iddi gyrraedd ei stafell wely ac edrych drwy'r ffenest, roedd y golau eisoes yn fflachio.

"Bisgedi Berffro, os gweli di'n dda!" galwodd Mr Ffiaidd. "Diolch o galon!"

8

Brensiach y bratiau!

"Be 'di'r oglau 'na?" cwynodd Mam yn bigog wrth iddi gamu i'r gegin. Roedd hi wedi bod allan drwy'r dydd yn ymgyrchu ac roedd hi'n edrych fel pin mewn papur, heblaw am ei thrwyn, oedd yn troi ac yn crychu oherwydd y drewdod.

"Pa oglau?" gofynnodd Alys ar ôl llyncu ei phoer.

"Mae'n rhaid dy fod yn ei glywed o hefyd, Alys. Mae o'n fy atgoffa i o ... wel, dydw i ddim am ddweud be, gan y byddai hynny'n amhriodol ac yn annerbyniol gan rywun o fy statws a fy mhwysigrwydd i, ond dydi o ddim yn oglau braf." Anadlodd unwaith eto, ac fe drawodd yr oglau'n galetach fyth. "Brensiach y bratiau, mae o'n ofnadwy!"

Fel cwmwl du bygythiol, roedd y drewdod wedi treiddio drwy waliau'r sied, gan blicio'r holl baent wrth fynd heibio. Yna, fel petai o'n rhywbeth byw, roedd o wedi cropian ar draws y lawnt, cyn agor drws y tŷ a meddiannu'r gegin. Os ydych chi erioed wedi dychmygu sut olwg sydd ar oglau drwg, dyma lun i chi.

Bobol bach, mae hwnna'n un drwg. Os rhowch chi eich trwyn yn erbyn y dudalen, bron na allwch chi ei glywed o ...

"Mae'n siŵr mai'r draen ydi o," meddai Alys.

"Ie, rhaid bod y draeniau'n gollwng eto. Wnaiff hynny ddim digwydd pan fydda i'n Aelod Cynulliad. Rŵan, mae 'na ohebydd o'r *Cymro* yn galw heibio i fy nghyfweld i ben bore fory, felly mi fydd yn rhaid i chi fihafio. Dwi isio iddo fo weld ein bod ni'n deulu normal a chyffredin."

Normal a chyffredin?! wfftiodd Alys.

"Mae'r pleidleiswyr yn hoffi gweld bod gan eu darpar Aelod Cynulliad fywyd teuluol cyffredin a llawen. Gobeithio wir y bydd y drewdod 'ma wedi hen fynd erbyn hynny."

"Mi fydd o, peidiwch â phoeni," meddai Alys. "Mam, fuodd Dad erioed mewn band roc?"

Syllodd Mam ar Alys. "Am be ar wyneb y ddaear rwyt ti'n sôn, hogan wirion? O ble cest ti'r ffasiwn syniad hurt?"

Rhewodd Alys. "Wel, gweld pentwr o hen CDs gan fand o'r enw *Seirff Uffern* wnes i. Mi oedd un ohonyn nhw'n debyg iawn i ..."

Aeth Mam braidd yn welw. "Chwerthinllyd!" ebychodd. "Wn i ddim wir be sy'n bod arnat ti!" Dechreuodd chwarae â'i gwallt, yn edrych yn betrus braidd. "Dy dad mewn band roc? Chlywais i ddim byd mor wirion ers y stori hurt 'na am fampirod yn dy lyfr Mathemateg!"

"Ond ..."

"'Ond' dim byd, hogan wirion. Wir i ti, wn i ddim be sy wedi digwydd i ti'n ddiweddar."

Edrychai Mam yn gandryll. Allai Alys ddim deall beth roedd hi wedi'i wneud o'i le. "Wel, mae'n ddrwg iawn gen i ofyn cwestiwn mor afresymol ..."

"Dyna ddigon!" bloeddiodd Mam. "I'r gwely – rŵan!"

"Dim ond ugain munud wedi chwech ydi hi!" protestiodd Alys.

"Dim ots gen i – gwely!"

Roedd Alys yn cael trafferth cysgu. Yn rhannol gan ei bod hi'n afresymol o gynnar, ond yn bennaf gan ei bod hi newydd adael i drempyn symud i fyw i'r sied yng ngwaelod yr ardd. Sylwodd ar olau'r dortsh yn tywynnu drwy ffenest ei llofft ac fe edrychodd ar y cloc. Roedd hi'n 2:11 a.m. Be goblyn roedd Mr Ffiaidd ei angen rŵan, tybed? Gwisgodd ei dillad yn dawel a chamu'n llechwraidd i lawr y grisiau ac allan i'r ardd.

Roedd Mr Ffiaidd wedi gwneud y sied yn ddigon cyfforddus. Roedd o wedi adeiladu gwely o bentwr o hen bapurau newydd, gyda hen babell fel dwfe a bag o gompost yn obennydd. Roedd o wedi creu basged ar gyfer Gelert gan ddefnyddio hen bibell ddŵr, a throi hen bot blodau yn bowlen ddŵr ar ei gyfer. Roedd o hefyd wedi dod o hyd i ddarn o sialc ac wedi tynnu lluniau ar y waliau tywyll, fel y rhai sydd i'w gweld mewn amgueddfeydd neu mewn plastai mawr, sef lluniau o bobol o'r canrifoedd a fu.

Ar un wal roedd o hyd yn oed wedi tynnu llun o ffenest, gyda llenni blodeuog a golygfa braf o'r môr.

"Rydych chi'n edrych yn gartrefol iawn," meddai Alys.

"Ydw wir. Dwi mor ddiolchgar i ti, 'mechan i. Dwi wrth fy modd yma. Dwi'n teimlo bod gen i gartref unwaith eto."

"Dwi mor falch."

"Rŵan," meddai Mr Ffiaidd, "mi wnes i dy alw di yma gan nad ydw i'n gallu cysgu. Dwi isio i ti ddweud stori wrtha i."

"Stori? Pa fath o stori?"

"Dewis di, 'mechan i. Ond er mwyn popeth, dim byd rhy ferchetaidd ..."

Cerddodd Alys ar flaenau'i thraed yn ôl i'w stafell. Roedd hi wedi hen arfer â symud o gwmpas y tŷ'n llechwraidd ac wedi hen ddysgu pa rannau o'r grisiau oedd yn gwichian, felly roedd hi'n gallu osgoi'r rheiny'n hawdd. Petai hi'n gosod ei thraed ar ganol y ris yma, wedyn ar ochr chwith y nesa, ar ochr dde ambell un arall, fyddai neb byth yn ei chlywed hi. Petai hi'n deffro Siân, mi fyddai'r hen gnawes honno wrth ei bodd yn cael cyfle i gael Alys i drwbwl. Trwbwl ofnadwy. Ac nid unrhyw fath o drwbwl mo hwn, ond y math o drwbwl sydd i'w gael pan fydd eich rhieni'n deall eich bod wedi gadael i

drempyn symud i fyw i'r sied yn yr ardd. Fel mae'r

graff hwn yn dangos:

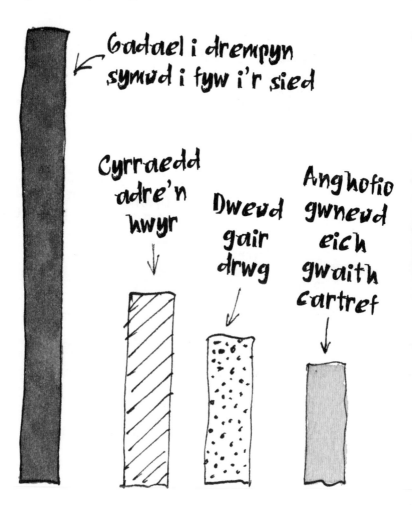

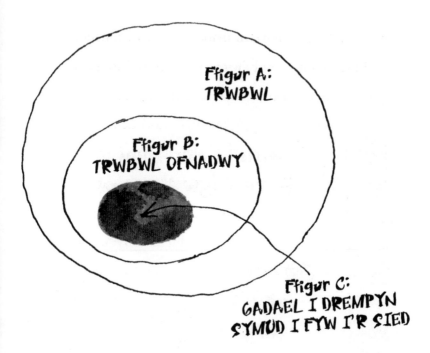

Ac os edrychwch chi ar y diagram Venn syml hwn, fe allwch weld mai ffigwr A ydi 'trwbwl', ffigwr B ydi 'trwbwl ofnadwy', ond mae ffigwr C, 'gadael i drempyn symud i fyw i'r sied', sef y darn tywyll, yn rhan fwy penodol (a mwy difrifol) o ffigwr B.

Gobeithio bod hynny'n egluro pethau.

Edrychodd Alys ar y silff lyfrau y tu ôl i'r rhes o dylluanod bach roedd hi'n eu casglu. (Doedd hi ddim yn hoff iawn o dylluanod mewn gwirionedd, ond roedd pawb arall i'w gweld yn eu casglu nhw, felly credai Alys y dylai hi wneud yr un peth.)

Edrychodd ar feingefn pob llyfr. Roedden nhw i gyd yn bethau merchetaidd iawn. Degau o lyfrau pinc i gyd-fynd â'r waliau pinc. Roedd yn gas ganddi bethau pinc. Nid hi oedd wedi dewis y lliw ar gyfer ei stafell wely. Wnaeth neb ofyn iddi hi. Fe fyddai hi wedi hoffi waliau du. Fe fyddai hynny wedi bod yn cŵl. Yr unig lyfrau roedd Mam yn eu prynu iddi oedd llyfrau am geffylau, tywysogesau, dawnsio bale a llyfrau am ferched del ond twp o America oedd yn poeni am ddim byd mwy na'u dillad a'u gwalltiau a'u colur. Doedd gan Alys ddim pwt o ddiddordeb yn unrhyw un ohonyn nhw, ac roedd hi'n eithaf siŵr na fyddai gan Mr Ffiaidd ddiddordeb chwaith. Roedd y stori orau roedd ganddi i'w dweud wedi cael ei rhwygo'n ddarnau mân gan Mam. Doedd hyn ddim yn mynd i fod yn hawdd.

Camodd Alys yn llechwraidd i lawr y grisiau eto, gan gau drws y gegin mor dawel â phosib i osgoi gwneud sŵn, yna fe gnociodd yn ysgafn ar ddrws y sied.

"Pwy sy 'na?" gofynnodd Mr Ffiaidd yn amheus.

"Y fi, Alys, wrth gwrs."

"Ond ro'n i'n cysgu'n drwm! Be ti isio?"

"Mi wnaethoch chi ofyn i mi ddarllen stori i chi."

"O wel, waeth i ti ddod i mewn ddim, gan 'mod i wedi deffro rŵan ..."

Cymerodd Alys anadl ddofn o'r awyr iach cyn mentro i mewn.

"Gwych iawn!" meddai Mr Ffiaidd. "Ro'n i'n gwirioni ar straeon cyn cysgu pan o'n i'n hogyn bach."

"Wel, a dweud y gwir, do'n i ddim yn gallu dod o hyd i ddim byd addas, sorri," meddai Alys. "Mae pob llyfr sy gen i'n ofnadwy o ferchetaidd. A dweud y gwir, mae'r rhan fwya ohonyn nhw'n binc."

"O diar," meddai Mr Ffiaidd. Edrychodd yn siomedig am funud, ond yna gwenodd eto. "Ond be am un o dy straeon di?"

"Fy straeon i?"

"Ie. Mi wnest ti ddweud dy fod di'n hoffi dychmygu straeon."

"Ond fedrwn i ddim ... hynny yw ... be os na fyddwch chi'n ei hoffi hi?" Roedd stumog Alys yn troi gan gymysgedd o gyffro ac ofn. Doedd neb erioed wedi gofyn am gael clywed un o'r straeon hi o'r blaen.

"Dwi'n siŵr y bydda i wrth fy modd," meddai Mr Ffiaidd. "Sut bynnag, sut wyddost ti heb i ti roi cynnig arni?"

"Digon gwir," atebodd Alys gan nodio. Oedodd am funud cyn cymryd anadl ddofn. "Ydych chi'n hoffi fampirod?" gofynnodd.

"Wel, fedra i ddim dweud fy mod i'n adnabod un yn bersonol."

"Na, hynny yw, fyddech chi'n hoffi clywed stori am fampirod? Mae rhai o athrawon yr ysgol yn fampirod. Fampirod sy'n sugno'r gwaed o gyrff y disgyblion diniwed ..."

"Ai dyma'r stori wnaeth dy fam ei rhwygo'n ddarnau?"

"Yym ... ie," atebodd Alys yn benisel. "Ond dwi'n meddwl 'mod i'n cofio'r rhan fwya ohoni."

"Wel, ty'd â hi 'te!"

"Wir?"

"Wrth gwrs!"

"O'r gorau," meddai Alys. "Fedrwch chi estyn y fflachlamp i mi?"

Ufuddhaodd Mr Ffiaidd, a gosododd Alys y fflachlamp o dan ei gên er mwyn edrych fel ysbryd.

"Amser maith, maith yn ôl ..." meddai, cyn dechrau simsanu.

"Ie?"

"Amser maith, maith yn ôl ... na, fedra i ddim gwneud hyn. Sorri."

Roedd yn gas gan Alys ddarllen ei straeon yn gyhoeddus. Pan fyddai hi'n gorfod gwneud hynny yn yr ysgol, fe fyddai hi'n ceisio cuddio o dan ei desg. Ond roedd hyn hyd yn oed yn fwy brawychus. Ei geiriau *hi* oedd y rhain. Roedden nhw'n llawer mwy preifat, llawer mwy personol, a doedd hi ddim yn hollol siŵr a oedd hi am eu rhannu nhw â neb arall.

"Plis, Alys fach," meddai Mr Ffiaidd, gan geisio ei hannog. "Dwi wir isio clywed dy stori di. Paid ag ofni! Wna i ddim dy fwyta di. Tyrd yn dy flaen – amser maith, maith yn ôl ..."

Anadlodd Alys yn ddwfn. "Amser maith, maith yn ôl, roedd 'na ferch o'r enw Elin oedd yn casáu'r ysgol. Nid am fod y gwersi'n anodd, ond am fod yr athrawon i gyd yn fampirod ..."

"Wel am ddechreuad gwych!"

Gwenodd Alys, ac fe aeth yn ei blaen. Cyn pen dim roedd hi wedi mynd i hwyl, ac yn dynwared llais ei harwres, Elin, a'i ffrind gorau, Gethin, oedd wedi cael ei frathu gan yr athrawes gerdd ac wedi troi'n fampir hefyd, a Mrs Ellyll, y brifathrawes ddieflig, sef ymerodres y fampirod.

Aeth y stori yn ei blaen drwy'r nos. Roedd y plot yn datblygu ac yn cymhlethu bob munud. Daeth y stori i ben fel roedd y wawr ar fin torri ac wrth i Elin blannu ei ffon hoci drwy galon y brifathrawes.

"... tasgodd gwaed Mrs Ellyll ohoni fel ffynnon fyrlymus o ddŵr, ac fe syrthiodd yn gelain ar lawr. Y diwedd."

Diffoddodd Alys y lamp. Roedd ei llais yn gryg ac roedd hi'n ei chael hi'n anodd cadw ei llygaid yn agored.

"Wel, am stori wych. Dwi'n edrych ymlaen at glywed be sy'n digwydd yn yr ail hanner!"

"Yr ail hanner?"

"Ie," meddai Mr Ffiaidd. "Rhaid bod 'na ail hanner, lle mae Elin yn cael ei symud i ysgol arall, lle mae'r athrawon i gyd yn ganibaliaid sy'n bwyta cnawd y disgyblion!"

Mae hwnna, meddyliodd Alys, *yn syniad da iawn*.

9

Ychydig bach o lafoer

Pan gyrhaeddodd Alys ei gwely o'r diwedd, edrychodd ar y cloc. 6:44 a.m. Doedd *oedolion* ddim yn mynd i'w gwlâu mor hwyr â hynny, hyd yn oed. A hithau wedi ymlâdd, caeodd ei llygaid am funud.

"Alys? *Aaaaalys*? Deffra! *Aaaaalys*?" bloeddiodd Mam o'r landin. Yna, curodd ar y drws dair gwaith. Oedodd, a churo ar y drws eto. Edrychodd Alys ar y cloc eto. 6:45 a.m. Roedd hi un ai wedi bod yn cysgu am ddiwrnod cyfan neu am funud cyfan. Gan nad oedd hi prin yn gallu agor ei llygaid, tybiai Alys mai dim ond un munud o gwsg gafodd hi.

"*Beeee?*" grwgnachodd. Roedd ei llais hi'n gras ac

yn ddwfn. Roedd aros ar ei thraed drwy'r nos yn adrodd straeon wedi gwneud i'w llais swnio fel injan hen dractor.

"Paid â dweud 'be' wrtha i, Alys. Mae'n hen bryd i ti stopio bod yn hen gysgadur diog. Mae dy chwaer wedi cwblhau triathlon yn barod y bore 'ma, felly deffra. Mae arna i angen dy help di i ymgyrchu heddiw!"

Ceisiodd Alys godi, ond allai hi ddim. Teimlai'r dwfe fel tunnell o frics a doedd hi prin yn gallu symud ei breichiau, felly fe lithrodd wysg ei hochr allan o'r gwely. Llosgai ei llygaid wrth iddi eu hagor nhw, ac wrth iddi edrych arni'i hun yn y drych, roedd hi'n edrych fel drychiolaeth, yn welw ac yn flêr. Dan rwgnach, aeth i lawr y grisiau ac at fwrdd y gegin.

"Rydyn ni'n mynd i ymgyrchu heddiw," cyhoeddodd Mam tra oedd hi'n sipian ei sudd grawnffrwyth er mwyn llyncu'r rhes o dabledi fitaminau oedd ar y bwrdd.

"Mae o'n swnio'n *booooorrrrriiing*," meddai Alys. Weithiau, mae *boring* yn swnio'n fwy diflas na 'diflas' hyd yn oed. Bore Sul oedd yr unig adeg roedd Alys yn cael gwylio'r teledu, a byddai Mam yn gadael iddi wylio rhaglenni am wleidyddiaeth. Roedd Alys wrth ei bodd yn gwylio'r teledu. Mewn tŷ lle nad oedd y teledu prin byth yn cael ei droi ymlaen, roedd hyd yn oed cael gwylio rhaglenni diflas am wleidyddiaeth yn hwyl. Ond eto, roedd y rhaglenni trafod gwleidyddiaeth ar foreau Sul (mae'n anodd dianc rhagddyn nhw ar y Sul am ryw reswm) yn ddigon diflas i droi llaeth yn sur. Roedden nhw'n gwneud i Alys feddwl y byddai'n well ganddi aros yn blentyn am byth os dyma'r math o bethau roedd oedolion yn eu trafod.

Bu Alys yn amau ers tro fod gan Mam reswm arall dros wylio'r rhaglenni hyn – roedd hi'n ffansïo'r Prif Weinidog. Doedd Alys ei hun ddim yn gweld dim byd golygus amdano, ond roedd hi wedi clywed bod nifer o fenywod oed Mam yn dotio arno. Er mawr syndod i Dad, byddai Mam yn rhoi'r gorau i beth bynnag roedd hi'n ei wneud bob tro y byddai'r Prif Weinidog yn ymddangos ar y teledu. Un tro, roedd Alys wedi gweld ychydig bach o lafoer yn diferu o geg ei mam pan welodd hi lun o'r Prif Weinidog yn chwarae criced ar y traeth mewn trowsus byr.

Wrth gwrs, doedd gweld Mam yn glafoerio ddim yn gwneud y rhaglenni am wleidyddiaeth ronyn yn llai diflas. Ond fe fyddai'n well ganddi wylio cant ohonyn nhw nag ymgyrchu gyda Mam. Ac mae hynny'n dweud rhywbeth.

"Wel, does gen ti fawr o ddewis – ti'n dod efo fi, a dyna ddiwedd arni," mynnodd Mam. "A chofia wisgo'r ffrog felen 'na gest ti gen i ar dy ben-blwydd. Rwyt ti bron yn ddel pan wyt ti'n gwisgo honno."

Ond doedd dim byd yn ddel am y ffrog felen. Roedd hi'n edrych fel un o'r losin amhoblogaidd 'na does neb yn ei hoffi ac sy'n sownd wrth waelod y tun da-da fisoedd ar ôl y Nadolig. Yr unig liw oedd yn siwtio Alys oedd du. Roedd hi'n meddwl bod du'n lliw cŵl, ac roedd o'n gwneud iddi edrych yn deneuach. Bod yn Goth oedd uchelgais Alys, ond wyddai hi ddim lle i ddechrau. Doedd hi ddim yn bosib prynu dillad Goth yn unrhyw un o siopau'r dref. Heb sôn am y colur du a'r lliw gwallt du. Ar ben hynny, byddai'n rhaid iddi feistroli'r grefft o edrych ar ei thraed drwy'r dydd.

Sut mae bod yn Goth, tybed? Oes 'na ffurflen gais i'w llenwi? Oes 'na bwyllgor o uwch-Gothiaid sy'n trafod y ceisiadau? Roedd Alys wedi gweld Goth go iawn yn loetran wrth un o'r biniau ar y stryd fawr unwaith, ac fe gynhyrfodd hi'n lân. Roedd hi bron â thorri'i bol eisiau gofyn iddo sut beth yw bod yn Goth, ond roedd hi'n rhy swil. Sy'n eironig, rywsut, gan mai swildod ydi un o'r pethau hanfodol er mwyn bod yn Goth.

Petai Elisabeth y gath yn dod wyneb yn wyneb â chath Goth (annhebygol ond posib), byddai hi'n edrych fel hyn:

Ffig A.

Ffig B

Ond yn ôl â ni at y stori ...

"Mae hi'n oer tu allan, Alys," meddai Mam pan ddaeth Alys i lawr y grisiau yn ei ffrog felen afiach. "Mi fyddi di angen mynd â chôt. Be am yr un oren llachar 'na gest ti gan Nain y Dolig diwetha?"

Aeth Alys i chwilio yn y twll dan grisiau. Dyna lle roedd pawb yn cadw eu cotiau a'u sgidiau glaw. Yna, clywodd sŵn symud yn y tywyllwch. Oedd

Elisabeth y gath wedi cael ei chloi yno ar ddamwain? Neu oedd Mr Ffiaidd wedi symud i mewn i'r tŷ? Trodd y golau ymlaen. Yno'n sbecian o'r ochr draw i hen gôt ffwr roedd 'na wyneb cyfarwydd, ofnus yn syllu arni.

"Dad?"

"Hisht!"

"Pam rwyt ti'n cuddio'n fa'ma?" sibrydodd Alys. "Rwyt ti i fod yn y gwaith!"

"Na. Dydw i ddim. Dwi wedi colli fy swydd yn y ffatri," meddai Dad yn benisel.

"*Be?*"

"Mi gafodd degau ohonon ni'n gwneud yn ddi-waith ryw bythefnos yn ôl. Does 'na neb yn prynu ceir newydd y dyddiau 'ma. Y dirwasgiad, am wn i."

"Ond pam rwyt ti'n cuddio?"

"Mae gen i ormod o ofn dweud wrth Mam. Mi fydd yn rhaid i ni gael ysgariad os clywith hi. Neu mi wneith hi hanner fy lladd i. Plis, dwi'n erfyn arnat ti, paid â dweud wrthi hi!"

"Dwi ddim yn meddwl y byddai hi isio ysga ..."

"Alys, plis. Mi wna i sortio popeth mewn dim o dro. Dydi pethau ddim am fod yn hawdd, ond mi ga i swydd arall, os medra i ddod o hyd i un."

Pwysodd Dad ymlaen heibio'r gôt nes bod ei ffwr yn gorchuddio'i ben fel mop mawr o wallt.

"Felly dyna sut wyt ti'n edrych efo gwallt!" sisialodd Alys.

"Be?"

Mae'n *rhaid* mai Dad oedd ar glawr y CD. Gyda'r ffwr ar ei ben, roedd o'n edrych yn union fel y dyn yn y llun gyda'r gwallt cyrliog anhygoel 'na!

"Os byddi di angen gwaith, mi elli di wastad fynd yn ôl i chwarae'r gitâr i *Seirff Uffern*!" meddai Alys.

Edrychodd Dad arni mewn syndod. "Pwy ddywedodd wrthat ti 'mod i mewn band?"

"Wel, mi wnes i weld y CD a gofyn i Mam, ond ..."

"Hisht!" brathodd Dad. "Cadwa'n dawel. Aros funud ... ble gest ti afael ar y CD?"

"Yym ... ro'n i'n ... yym ... edrych am fy hen gaets bochdew yn y sied ac roedd 'na focs mawr yn llawn o hen lanast, efo gitâr wedi llosgi ynddo fo."

Agorodd Dad ei geg i ddweud rhywbeth, ond yr union eiliad honno fe glywodd sŵn drws yn cau'n glep i fyny'r grisiau.

"Tyrd rŵan, Alys!" taranodd Mam.

"Paid â sôn dim byd am y swydd," siarsiodd Dad.

"Wna i ddim, gaddo."

Caeodd Alys ddrws y twll dan grisiau, gan adael Dad ar ei ben ei hun yn y tywyllwch. Bellach roedd ganddi hi ddau ddyn yn eu hoed a'u hamser yn cuddio – un yn y twll dan grisiau a'r llall yn y sied. *Be nesa?* meddyliodd. *Taid yn y peiriant golchi?*

10

Licris ail-law

Roedd ymgyrchu gyda Mam yn golygu cnocio ar ddrws pob tŷ yn y dref. Ar ôl cnocio byddai Mam yn gofyn a fedrai hi 'ddibynnu ar eich pleidlais chi'. Os oedd rhywun yn dweud eu bod nhw am bleidleisio dros Mam, yna byddai Mam yn rhoi gwên lydan iddyn nhw a sticer lletach byth yn dweud 'PLEIDLEISIWCH DROS PRYDDERCH!' i'w osod ar y ffenest. Os oedd rhywun yn dweud eu bod nhw am bleidleisio dros rywun arall, roedden nhw'n difaru dweud hynny'n fuan iawn. Fe fyddai Mam yno wedyn am hydoedd yn dadlau ac yn ceisio dangos iddyn nhw pam roedden nhw'n anghywir. Doedd hi ddim yn un i ildio heb ymladd.

Aeth y ddwy heibio siop Huw. "Tybed fyddai Huw yn fodlon gosod un o'r posteri yn y ffenest?" gofynnodd Mam wrth iddi frasgamu tua drws y siop. Llusgodd Alys yn araf y tu ôl iddi yn ei sgidiau Sul gorau. Roedd hi'n ei chael hi'n anodd cerdded mor gyflym â Mam, ac roedd ei meddwl wedi bod yn crwydro drwy'r dydd. Bellach, roedd ganddi *ddwy* gyfrinach anferth i'w cadw – Mr Ffiaidd yn cuddio yn y sied yn yr ardd *a* Dad yn cuddio yn y twll dan grisiau!

"A, fy nau hoff gwsmer!" ebychodd Huw wrth i Mam ac Alys gamu i mewn i'r siop. "Y brydferth Mrs Prydderch a'i merch ddeallus, ddireidus, Alys!"

"Pnawn da," meddai Mam yn sych. "Felly, Huw, fedra i ddibynnu ar dy bleidlais di?"

"Ydych chi'n cystadlu ar *Wawffactor*?!" gofynnodd Huw mewn cyffro. "Gallwch, gallwch, wrth gwrs. Be fyddwch chi'n ei ganu nos Sadwrn?"

"Na, dydi hi ddim ar *Wawffactor*, Huw," meddai Alys, gan geisio ei gorau i beidio â chwerthin wrth feddwl am y syniad.

"*Fferm Ffactor* 'te? Mae cŵn defaid yn boblogaidd iawn ar y rhaglen honno – falle y dylech chi drio corlannu defaid. Neu hwyaid. Mi fyddai hynny'n wych!"

"Na, dydi hi ddim ar *Fferm Ffactor* chwaith, Huw," meddai Alys dan grechwenu.

"Be, ydych chi'n rhoi cynnig ar *Cân i Gymru*, Mrs Prydderch?"

"Yr etholiad, Huw," meddai Mam, gan dorri ar ei draws yn ddiamynedd. "Dwi'n sefyll i fod yn Aelod Cynulliad."

"A phryd mae'r etholiad?"

"Dydd Iau nesa. Fedra i ddim credu nad wyt ti wedi clywed amdano fo, Huw! Mae o ar dudalen flaen pob papur newydd bob dydd." Pwyntiodd Mam at y pentyrrau o gannoedd o bapurau newydd ar hyd a lled y siop.

"O, fydda i byth yn eu darllen nhw," meddai Huw. "Dim ond eu gwerthu nhw. Mae 'na fwy o bres i'w wneud o hynny."

Edrychodd Mam ar Huw'n ddirmygus. Gwyddai Alys yn iawn pa fath o gylchgronau roedd Huw yn eu darllen, a doedd hi ddim am i Mam wybod sut rai oedden nhw.

"Be ydi'r materion llosg a'r heriau sy'n wynebu

Cymru heddiw yn dy farn di, Huw?" gofynnodd Mam yn ddwys ac yn ddoeth.

Pendronodd Huw am funud, yna fe waeddodd ar ambell fachgen oedd yn gwneud llanast wrth y silffoedd losin. "Paid â rhoi'r licris yn dy geg os nad wyt ti'n bwriadu ei brynu o! O diar, mi fydd yn rhaid i mi gynnig y licris 'na am hanner pris rŵan!"

Estynnodd Huw ddarn o bapur a sgwennodd 'Ail-law' arno, a'i osod wrth y licris. "Sorri, be oedd y cwestiwn eto?" gofynnodd i Mam.

Paid byth, byth â phrynu licris yn siop Huw eto meddai Alys wrthi'i hun yn dawel bach.

"Yym ... ble ro'n i?" meddai Mam. "O ie! Huw, be ydi'r materion llosg ..."

"... a'r heriau sy'n wynebu Cymru heddiw?" awgrymodd Huw.

"Cywir," meddai Mam.

"Wel, os gallwch chi newid polisi'r llywodraeth ar wyau siocled, mi gewch chi fy mhleidlais i. Dwi'n credu'n angerddol y dylen nhw fod ar gael drwy'r flwyddyn, nid adeg y Pasg yn unig. Mae o'n achos sy'n agos iawn at fy nghalon i."

Gan fod Mam wedi cael ymateb cymysg i'w hymgyrch hyd yn hyn, roedd hi'n awyddus iawn i sicrhau pleidlais Huw.

"Wrth gwrs, Huw. Mi wna i drio fy ngorau i newid polisi'r llywodraeth ar fater mor aruthrol o bwysig."

"Diolch o galon!" meddai Huw â gwên lydan. "Helpwch eich hunain i unrhyw beth yn y siop."

"Diolch yn fawr, ond na, wnawn ni mo hynny, Huw."

"Dwi'n mynnu, Mrs Prydderch. Be am focs o fisgedi siocled? Dwi wedi bwyta ambell un, ond mae'r rhan fwyaf yn dal yn y bocs. Mmm, maen nhw'n hyfryd, yn enwedig y rhai siocled gwyn. Wrth gwrs, dwi wedi bwyta'r rheiny, ond mae'r rhai siocled tywyll yn dal yno! Hefyd, mae'r bocs yn fflat braidd ar ôl i'r wraig sefyll arno fo, ond dim ond rhyw bedwar neu bump o fisgedi sydd wedi torri, wir yr."

"Fedrwn ni ddim derbyn y fath anrhegion, Huw," mynnodd Mam.

"Ond be am eu prynu nhw, 'te? Un bocs o fisgedi siocled am £4.29 neu ddau am £10. Dyna i chi fargen! Diolch yn fawr."

Roedd dawn gwerthu Huw yn arbennig iawn. Cyn pen dim o dro roedd hi wedi talu am ddau focs o fisgedi siocled, a hynny er mwyn rhoi taw ar Huw yn fwy na dim. Pris bychan oedd o i'w dalu er mwyn sicrhau pleidlais Huw, wedi'r cyfan.

"Rŵan, paid ag anghofio, Huw. Mae'r etholiad ddydd Iau nesa!" cyhoeddodd Mam wrth iddi adael y siop.

"O, mae'n ddrwg ofnadwy gen i, Mrs Prydderch. Fydda i ddim ar gael ddydd Iau. Dwi'n disgwyl llond lorri o fisgedi siocled ac mae'n rhaid i mi fod yma i'w derbyn nhw. Hen dro!"

"O ... diolch," atebodd Mam, yn methu credu ei chlustiau. Gadawodd y siop â Alys wrth ei chwt, gyda dau focs mawr o fisgedi siocled yn eu dwylo, a heb bleidlais.

11

Tynnu gwalltiau

"Be wyt ti'n ei guddio'n y sied?" gofynnodd Siân.

Roedd hi'n hanner nos ac roedd Alys unwaith eto'n ceisio sleifio heibio stafell wely ei chwaer. Roedd hi am ddweud rhagor o hanesion am Elin wrth Mr Ffiaidd, ac am ei thrafferthion gyda'r athrawon canibalaidd rheibus. Ond roedd Siân yn sefyll wrth ddrws ei stafell yn ei phyjamas pinc, ac yn edrych yn gyfoglyd o bropor.

"Dim byd," meddai Alys ar ôl llyncu ei phoer.

"Dwi'n gwybod yn iawn pan fyddi di'n dweud celwydd, Alys."

"Sut?"

"Mi fyddi di'n llyncu dy boer."

"Na fydda i ddim!" protestiodd Alys, gan geisio ei gorau i beidio â llyncu ei phoer. Ond methodd.

"Dyna ti eto! Be wyt ti'n ei gadw'n y sied? Oes gen ti gariad yno neu rywbeth?"

"Na, does gen i ddim cariad, Siân."

"Nac oes, siŵr. Ti'n rhy dew i gael cariad."

"Dos yn ôl i dy wely," poerodd Alys.

"Dwi ddim yn mynd yn ôl i'r gwely cyn cael gwybod be sy'n y sied," mynnodd Siân yn gadarn.

"Bydda'n dawel! Mi fyddi di wedi deffro pawb!"

"Na, wna i ddim bod yn dawel! A dweud y gwir, dwi'n mynd i gadw mwy o sŵn. La la la la la la la la la la la la la la la!"

"Hisht!" siarsiodd Alys.

"La la la la la la la la la la la la la la la la la la la la la la la la la la la la la la la ...!"

Gafaelodd Alys yng ngwallt Siân a'i dynnu'n galed. Roedd 'na dawelwch am funud wrth i Siân syllu ar Alys mewn sioc. Yna, agorodd Siân ei cheg.

"AAAAAAAAAAAAAAAAAAAAA AAAAAAAAAAAAAAAAAAAAAA AAAAAAAAAAAAAAAAAAAAAA AAAAAAAAAAAAAAAAAA!"

"Genod! Be ar wyneb y ddaear ydi'r sŵn mawr 'ma?" gofynnodd Mam wrth iddi ruthro o'i stafell wely yn ei gŵn nos sidan.

Ceisiodd Siân ddweud rhywbeth, ond doedd ganddi ddim anadl yn ei hysgyfaint i ffurfio'r geiriau.

"Yyy … yyy … eee … aaa … yyy …"

"Be gebyst wyt ti wedi'i wneud iddi hi, Alys?!" mynnodd Mam.

"Actio mae hi! Wnes i ddim tynnu ei gwallt hi mor galed â hynna!" protestiodd Alys.

"Mi wnest ti *dynnu ei gwallt hi*? Dallta di, Alys, mae gan Siân glyweliad fory i fod yn fodel ar gyfer

catalog dillad, felly mae'n rhaid iddi hi edrych yn berffaith!"

"Yyy ... yyy ... eee ... aaa ... Mae hi'n cuddio ... yyy ... aaa ... yyy... rhywbeth yn ... eee ... yyy ... aaa ... y sied," pesychodd Siân, gan geisio gwasgu mwy o ddagrau o'i llygaid.

"Dad, tyrd yma'r munud 'ma!" gorchmynnodd Mam.

"Dwi'n cysgu!" meddai'r llais diog o'r stafell wely.

"Y MUNUD 'MA!"

Syllodd Alys ar ei thraed. Fedrai hi ddim edrych ym myw llygaid Mam. Aeth popeth yn dawel am funud. Gwrandawodd Mam, Siân ac Alys ar Dad yn codi'n drwsgl o'i wely.

"Dim ond piciad i'r tŷ bach gynta ..."

"Y MUNUD 'MA, DDYWEDAIS I!"

Sgrialodd Dad yn ufudd allan o'r stafell wely yn ei byjamas coch streipiog.

"Mae Siân yn dweud bod Alys yn cuddio rhywbeth yn y sied. Siocled, mwy na thebyg. Dos di yno i weld."

"Fi?" protestiodd Dad.

"Ie, ti!"

"Fedrith o ddim aros tan y bore?"

"Na."

"Does 'na ddim byd yno," plediodd Alys.

"TAWELWCH!" taranodd Mam.

"Dwi'n mynd i nôl y dortsh," ochneidiodd Dad.

Ymlusgodd Dad i lawr y grisiau, ac fe ruthrodd Mam, Siân ac Alys at ffenest y llofft a'i wylio'n cerdded i ben draw'r ardd. Roedd hi'n lleuad lawn, a'r ardd yn llawn cysgodion rhyfedd. Dawnsiai golau'r dortsh yn y coed a'r planhigion wrth i Dad gerdded am y sied. Daliodd y tair eu gwynt wrth i Dad agor y drws.

Gallai Alys glywed ei chalon yn curo. Llyncodd ei phoer yn fwy swnllyd nag arfer. Clywodd Mam hyn, ac edrych arni'n amheus gyda llygaid cyllyll.

Roedd y tawelwch yn swnio fel taran. Teimlai pob eiliad fel awr a phob anadl fel oes. Yna, ymddangosodd Dad yn araf o'r sied. Edrychodd i fyny ar y ffenest a gweiddi, "Does dim byd i'w weld yma!"

12

Drewllyd ddychrynllyd

Ydw i'n breuddwydio? meddyliodd Alys wrth iddi orwedd ar ei gwely. Roedd hi rhwng cwsg ac effro, y rhan ryfedd 'na pan mae rhywun yn dal i gofio ei freuddwydion. Roedd hi'n 4:48 a.m. ac roedd hi'n dechrau amau a oedd Mr Ffiaidd yn bodoli o gwbwl.

Erbyn i'r wawr dorri roedd ei chwilfrydedd wedi mynd yn drech na hi. Mentrodd Alys i lawr y grisiau, a cherdded ar flaenau'i thraed dros y gwair gwlyb tua'r sied. Oedodd am funud cyn agor y drws.

"A, dyma ti o'r diwedd!" meddai Mr Ffiaidd. "Dwi'n llwglyd iawn y bore 'ma. Wy wedi'i ffrio, os gweli di'n dda, os nad ydi hynny'n ormod o drafferth. Y melynwy heb fod yn rhy galed, ond nid yn rhy redegog. Selsig. Madarch. Tomato. Selsig. Ffa pob. Selsig. Bara menyn. Sos brown ar yr ochr. A selsig hefyd. A llond tebot mawr o de. A gwydraid mawr o sudd oren. Diolch o galon."

Roedd hi'n amlwg nad breuddwydio roedd Alys, ond roedd hi'n dechrau difaru nad breuddwyd oedd hi. Roedd y cyfan yn frawychus o wir.

"Oren cyffredin neu oren wedi'i wasgu'n ffres, syr?" gofynnodd yn goeglyd.

"Wel, oren wedi'i wasgu'n ffres, os wyt ti'n cynnig! Mae hwnnw'n gymaint mwy blasus ac yn llawer iachach."

Cyn iddi gael cyfle i ymateb, sylwodd Alys ar hen lun du a gwyn ar un o'r silffoedd. Rhaid mai Mr Ffiaidd oedd wedi'i osod yno. Roedd yn dechrau melynu, ond gallai Alys weld mai llun o gwpl ifanc, golygus yn sefyll wrth ymyl car Rolls-Royce llachar oedd o, a chlamp o blasty mawr yn y cefndir.

"Pwy ydi'r rheina?" gofynnodd, gan bwyntio at y llun.

"O, n-n-n-neb, d-d-d-d-dim byd ..." atebodd Mr Ffiaidd. "Dim ond hen lun i godi hiraeth, 'mechan i."

"Ga i weld?"

"Na, na, na, dydi o'n ddim byd. Hidia di befo." Roedd Mr Ffiaidd i'w weld yn anesmwyth ac yn chwyslyd braidd. Bachodd y llun oddi ar y silff a'i guddio ym mhoced ei byjamas. Roedd Alys yn siomedig. Efallai fod y llun yn cynnig cliw arall er mwyn darganfod gorffennol Mr Ffiaidd, fel y llwy arian a'r ffordd roedd o wedi taflu'r papur 'na i'r bin. Dyma'r cliw gorau eto, o bosib. Ond roedd Mr Ffiaidd wrthi'n brysur yn ei hel hi o'r sied. "Paid ag anghofio'r selsig!" meddai.

Sut ar wyneb y ddaear wnaeth Dad mo'i weld o?! meddyliodd Alys. Hyd yn oed os na welodd neb yn y sied, mae'n anodd credu na fyddai o wedi clywed y drewdod.

Aeth Alys ar flaenau'i thraed i'r gegin ac agor drws yr oergell mor dawel ag y medrai. Syllodd i mewn i'r gwynder, a symud y jariau mwstard a'r potiau jam yn ofalus rhag ofn iddyn nhw wneud gormod o sŵn. Roedd hi'n gobeithio dod o hyd i sudd oren drud er mwyn plesio archwaeth Mr Ffiaidd.

"Be wyt ti'n 'i wneud?"

Neidiodd Alys. Dad oedd yno, diolch byth, ond doedd hi ddim yn disgwyl ei weld o ar ei draed mor fore.

"Dim byd, Dad. Llwglyd ydw i, dyna i gyd."

"Dwi'n gwybod pwy sy yn y sied, Alys," meddai.

Syllodd Alys i fyw ei lygaid mewn panig, heb wybod beth i'w feddwl heb sôn am beth i'w ddweud.

"Mi wnes i agor drws y sied a gweld hen drempyn yn chwyrnu wrth ymyl y peiriant torri gwair," meddai Dad yn araf ac yn bwyllog. "Roedd y drewdod yn ... yn ... wel, yn ddrewllyd. Yn ddrewllyd a dychrynllyd."

"Ro'n i am ddweud wrthat ti, wir yr," mynnodd Alys. "Mae o angen lle i fyw, Dad. Mae Mam isio hel yr holl bobol ddigartref oddi ar y strydoedd!"

"Dwi'n gwybod, dwi'n gwybod, ond mae'n ddrwg gen i, Alys, chaiff o ddim aros. Mi fydd dy fam yn chwythu ffiws os clywith hi."

"Mae'n ddrwg gen i, Dad."

"Paid â phoeni, cariad. Dwi ddim am sôn gair wrth dy fam. Dwyt ti ddim wedi dweud dim byd am fy swydd i, naddo?"

"Naddo siŵr."

"Da'r hogan," meddai Dad.

"Felly," aeth Alys yn ei blaen, yn falch o'r cyfle i gael holl sylw Dad, "sut wnest ti losgi'r gitâr?"

"Dy fam daflodd hi ar y goelcerth."

"Wir?!"

"Ie," meddai Dad yn hiraethus. "Roedd hi am i mi symud ymlaen a gwneud rhywbeth adeiladol efo fy mywyd. Roedd hi'n gwneud ffafr â fi, mewn ffordd ryfedd."

"*Ffafr*?"

"Wel, doedd *Seirff Uffern* ddim yn mynd i unman. Dyna pam y ces i'r swydd yn y ffatri geir, a dyna ddiwedd arni wedyn."

"Ond mi wnaethoch chi ryddhau albwm! Mae'n rhaid eich bod chi'n enwog!"

"Na, doedden ni ddim yn enwog o gwbwl!" chwarddodd Dad. "Dim ond deuddeg copi wnaethon ni eu gwerthu."

"*Deuddeg*?" gofynnodd Alys.

"Ie, a dy nain brynodd y rhan fwya o'r rheiny. Ond roedden ni'n eitha da. Ac mi wnaethon ni gyrraedd y siartiau."

"Be, y 40 uchaf?"

"Na, rhif 98."

"Waw!" ebychodd Alys. "Yn y 100 uchaf! Mae hynny'n dda!"

"Na, ddim yn dda ofnadwy," meddai Dad, "ond diolch beth bynnag." Rhoddodd Dad gusan i Alys ar ei thalcen a cheisiodd roi cwtsh mawr iddi.

"Does dim amser am gwtsh!" meddai Mam wrth iddi frasgamu i'r gegin. "Mi fydd y dyn o'r papur newydd yma'n fuan. Dad, gwna di'r wy wedi'i sgramblo. Alys, gosoda di'r bwrdd."

"Iawn, Mam ..." cytunodd Alys, gan boeni mwy

am sut a phryd roedd Mr Ffiaidd yn mynd i gael ei frecwast.

"Felly pa mor bwysig ydi'r teulu i chi, Mrs Prydderch?" gofynnodd y newyddiadurwr â golwg ddifrifol ar ei wyneb. Roedd o'n gwisgo sbectol pot jam ac yn edrych yn hen fel pechod. Y math o

berson sydd wedi bod yn hen ers dydd ei eni. Mr
Llwyd oedd ei enw o, ac roedd yr enw yn gweddu
iddo i'r dim, meddyliodd Alys. Doedd o ddim yn
gwenu rhyw lawer chwaith.

Roedd y teulu cyfan yn eistedd wrth y bwrdd yn
mwynhau eu brecwast swanc. Roedd y cyfan yn
gelwydd llwyr. Doedden nhw byth yn eistedd wrth

y bwrdd yn y stafell fwyta yn gwledda ar wy wedi'i sgramblo ac eog wedi'i fygu i frecwast. Fel arfer, wrth y bwrdd yn y gegin roedden nhw, yn bwyta creision ŷd neu ffa pob ar dost.

"Eithriadol o bwysig, Mr Llwyd," atebodd Mam. "Y peth pwysicaf yn fy mywyd o ddigon. Wn i ddim beth fyddwn i'n ei wneud heb fy ngŵr, Mr Prydderch, fy merch hyfryd ac annwyl, Siân, a'r llall ... yym ... Alys."

"Wel, mi ofynna i hyn i chi, 'te, Mrs Prydderch. Ydi'r teulu'n bwysicach i chi na dyfodol eich gwlad?"

Cwestiwn anodd oedd hwnnw. Oedodd Mam yn hir a chymerodd gegaid mawr o de er mwyn cael cyfle i feddwl am ateb doeth ac ystyrlon.

"Wel, Mr Llwyd ..." meddai Mam yn bwyllog.

"Ie, Mrs Prydderch ...?"

"Wel, Mr Llwyd ..."

"Ie, Mrs Prydderch ...?"

Yr eiliad honno, daeth 'na gnoc dawel ar y ffenest.

"Mae'n ddrwg iawn gen i dorri ar eich traws," meddai Mr Ffiaidd gyda gwên, "ond tybed fyddai modd cael rhywbeth i frecwast?"

13

Cau dy geg!

"Pwy ar wyneb y ddaear ydi *o*?" gofynnodd Mr Llwyd wrth i Mr Ffiaidd gamu yn ei byjamas streipiog tuag at y drws cefn.

Aeth pawb yn dawel am funud. Roedd llygaid Mam fel soseri ac roedd Siân yn edrych fel petai hi am gyfogi unrhyw eiliad neu sgrechian nerth ei phen, neu'r ddau yr un pryd.

"O, y fo ydi'r trempyn sy'n byw yn y sied," meddai Alys yn ddidaro.

"Y trempyn sy'n byw yn y sied?!" bloeddiodd Mam, fel petai 'na garreg ateb yn y stafell. Edrychodd ar Dad a'i llygaid yn wenfflam.

Llyncodd Dad ei boer.

"Mi wnes i ddweud bod Alys yn cuddio rhywbeth yno, Mam!" ebychodd Siân.

"Doedd o ddim yno pan wnes i edrych!" protestiodd Dad. "Rhaid ei fod o'n cuddio yng nghanol y tuniau paent!"

"Wel wir, rydych chi'n ddynes arbennig iawn, Mrs Prydderch," meddai Mr Llwyd. "Dwi wedi darllen eich polisïau chi ynghylch pobol ddigartref. Pan oeddech chi'n sôn am eu gyrru oddi ar y strydoedd, do'n i ddim yn deall eich bod yn awgrymu y dylen nhw ddod i fyw efo chi yn eich cartref!"

"Ond ..." meddai Mam gan faglu dros ei geiriau.

"Mi fedra i eich sicrhau y bydda i'n sgwennu darn hynod o ganmoliaethus amdanoch chi. Mi fydd y stori ar y dudalen flaen. Mae'n bosib mai chi fydd y Prif Weinidog nesa o ganlyniad i hyn!"

"Ble mae fy selsig i?" gofynnodd Mr Ffiaidd wrth iddo gamu i mewn i'r stafell fwyta.

"Pardwn?" ebychodd Mam, cyn rhoi ei llaw dros ei cheg i'w hachub ei hun rhag y drewdod.

"Mae'n ddrwg gen i," meddai Mr Ffiaidd. "Mi wnes i ofyn i Alys am selsig i frecwast ryw ddwyawr yn ôl. Mae'n gas gen i fod yn ddiamynedd, ond dwi'n llwgu!"

"Felly, rydych chi'n meddwl y gallwn i fod yn Brif Weinidog, Mr Llwyd?" gofynnodd Mam yn feddylgar.

"Ydw. Chwarae teg i chi am adael i hen drempyn fel hwn fyw efo chi – hynny yw, dim amarch i chi, Mr ..."

"Mr Ffiaidd. Peidiwch â phoeni – dydi geiriau fel'na ddim yn fy mrifo i bellach."

"Wel, chwarae teg i chi am adael i Mr Ffiaidd ddod i fyw yn eich cartref moethus," meddai Mr Llwyd. "Rydych chi'n siŵr o ennill eich sedd fel Aelod Cynulliad rŵan."

Gwenodd Mam. "Gan hynny," meddai, "faint o

selsig hoffech chi, fy nghyfaill hoff sy'n byw yn y sied yn fy ngardd ac sydd prin yn ogleuo o gwbwl?"

"Wnaiff rhyw naw y tro, os gwelwch yn dda," atebodd Mr Ffiaidd.

"Naw o selsig ar eu ffordd!"

"Efo wy wedi'i ffrio, cig moch, madarch, tomato, bara menyn a sos brown ar yr ochr, os nad ydi hynny'n ormod o drafferth."

"Â chroeso, fy ffrind mynwesol ac annwyl!" gwaeddodd y llais o'r gegin.

"Dwi'n mynd i farw os na wnewch chi adael y stafell yn fuan," meddai Siân.

"Dydi hynny ddim yn beth neis iawn i'w ddweud, Siân," meddai Mam yn siriol. "Rŵan, tyrd i'r gegin i fy helpu i wneud brecwast i Mr Ffiaidd, dyna hogan dda!"

Rhedodd Siân nerth ei thraed i'r gegin. "Mae'r drewdod wedi cyrraedd fa'ma rŵan hefyd!" sgrechiodd.

"Cau dy geg!" brathodd Mam.

"Felly dywedwch i mi, Mr Ffiaidd," meddai Mr Llwyd, gan fynd yn nes at y trempyn cyn penderfynu nad oedd hynny'n syniad rhy dda. "Ai dim ond chi sy'n byw yn y sied?"

"Ie, dim ond fi. A Gelert, wrth gwrs – fy nghi."

"MAE GANDDO FO GI?" bloeddiodd Mam o'r gegin.

"A sut brofiad ydi byw efo'r teulu Prydderch?" gofynnodd y newyddiadurwr.

"Pleserus iawn ar y cyfan," atebodd Mr Ffiaidd, "ond mae'r bwyd yn araf iawn yn cyrraedd ..."

14

Santes mewn siwt

'SANTES MEWN SIWT' oedd pennawd y papur newydd.

Roedd Mr Llwyd wedi cadw at ei air, ac roedd y stori wedi ymddangos ar dudalen flaen y papur, gyda chlamp o lun o Mam a Mr Ffiaidd i gyd-fynd â'r stori. Roedd Mr Ffiaidd yn gwenu'n llydan yn y llun ac yn dangos ei ddannedd duon. Er bod Mam wedi trio'i gorau i wenu, roedd y drewdod wedi golygu na allai hi gadw ei cheg ar agor yn rhy hir. Yn syth ar ôl i fachgen y rownd bapur wthio'r papur drwy'r drws, rhuthrodd y teulu i edrych arno. Roedd Mam yn enwog! Darllenodd Mam yr erthygl yn uchel mewn balchder.

Efallai nad yw Mrs Prydderch, gyda'i siwtiau smart a'i pherlau disglair, yn edrych fel ffigwr a allai chwyldroi'r byd gwleidyddol, ond mae'n bosib y bydd hi a'i gweithredoedd yn newid ein ffordd o edrych ar y byd o'n cwmpas. Mae ei bryd ar fod yn Aelod Cynulliad, ac er bod ganddi hi bolisïau llym a digyfaddawd, mae hi wedi gwneud tro da iawn â thrempyn lleol drwy ei wahodd i fyw gyda'i theulu.

"Fy syniad i oedd y cyfan," meddai Mrs Prydderch. "Roedd fy nheulu'n wrthwynebus iawn i'r peth ar y dechrau, ond roedd yn rhaid i mi gynnig cartref i'r dyn troëdig, cyfoglyd, drewllyd, chweinllyd, difanars hwn, ac i'w gi budr erchyll hefyd. Dwi'n caru'r ddau ohonyn nhw'n angerddol. Maen nhw'n rhan o'r teulu bellach. Fedrwn i ddim dychmygu byw hebddyn nhw. Trueni nad ydi pawb yr un mor hael ac elusengar â mi. Mae rhai pobol wedi dechrau fy ngalw i'n santes. Petai pob teulu yn y wlad yn gadael i drempyn fyw yn eu cartrefi, byddai problem y bobol ddigartref yn

cael ei dileu am byth. Hefyd, peidiwch ag anghofio pleidleisio drosof i yn yr etholiad yn y dyfodol agos."

Mae o'n syniad athrylithgar, ac fe allai olygu mai Mrs Prydderch fydd Prif Weinidog nesaf y wlad.

Sylw'r trempyn, a elwir yn 'Mr Ffiaidd', ar y mater oedd, "Fyddai hi'n bosib i mi gael mwy o selsig, os gwelwch yn dda?"

"Nid eich syniad chi oedd o, Mam," meddai Alys yn bigog.

"Wel, nage, a bod yn fanwl gywir, ond ..."

Syllodd Alys arni, ond yr eiliad honno fe ganodd y ffôn.

"Wneith rhywun ateb hwnna? Mae'n siŵr mai i mi mae o," meddai Mam yn fawreddog.

Ufuddhaodd Siân i orchymyn Mam. "Dydd da. Siân sydd yma. Pwy sy'n siarad, os gwelwch yn dda?" meddai, yn union fel roedd Mam wedi'i dysgu hi i'w wneud, gan ddefnyddio ei llais ffôn arbennig.

"Pwy sy 'na, cariad?" gofynnodd Mam.

"Y Prif Weinidog."

"*Y Prif Weinidog*?!" gwichiodd Mam.

Carlamodd tuag at y ffôn.

"Dydd da! Mrs Prydderch yma!" meddai Mam mewn llais chwerthinllyd o ffurfiol. "O, diolch i chi, Brif Weinidog. Oedd, roedd o'n ddarn arbennig o ffafriol yn y papur newydd, Brif Weinidog."

Roedd Mam yn glafoerio eto. Ochneidiodd Dad.

"Wrth gwrs y byddwn wrth fy modd yn ymddangos ar *Pawb a'i Farn* heno, Brif Weinidog," meddai Mam.

Yna, fe aeth hi'n dawel. Gallai Alys glywed murmur o ben arall y lein, yna tawelwch eto.

Roedd Mam yn gegrwth.

"*Be*?" ffrwydrodd llais Mam, gan chwalu'r holl ddelwedd fawreddog.

Edrychodd Alys ar Dad, ond wnaeth o ddim byd ond codi'i ysgwyddau.

"Pan ydych chi'n dweud eich bod chi am i'r trempyn ddod gyda mi, be yn union rydych chi'n ei olygu?" meddai Mam yn araf, yn methu'n lân â choelio'i chlustiau.

Gwenodd Dad. Rhaglen wleidyddol ddwys ac o bwys oedd *Pawb a'i Farn*. Hwn fyddai cyfle mawr Mam i ddisgleirio ac ennill pleidleisiau, a doedd hi ddim am i'r cyfan gael ei ddifetha gan ddrewgi digartref.

"Wel, ydi," aeth Mam yn ei blaen, "dwi'n gwybod ei bod hi'n stori dda, ond oes wir raid iddo fo ddod hefyd? Drewgi ydi o!"

Aeth popeth yn dawel eto tra oedd y Prif Weinidog yn siarad, ac roedd y murmur o ben arall y lein ychydig yn gryfach. Roedd gan Alys barch mawr at y dyn. Os oeddech chi'n gallu tewi Mam, yna roeddech chi'n haeddu rheoli'r wlad.

"O'r gorau, o'r gorau, os dyna eich dymuniad chi, Brif Weinidog. Wrth gwrs y caiff Mr Ffiaidd ddod gyda mi. Diolch o galon i chi am ffonio. Gyda llaw, rydw i ar ganol gwneud cacen lemwn hyfryd. Os byddwch chi'n dod i'r cyffiniau i ymgyrchu rywdro, mi fyddwn i'n teimlo'n freintiedig iawn petawn i'n gallu cynnig darn i chi. Na? Siŵr? Wel, hwyl fawr i chi, Brif Weinidog ... hwyl fawr ... hwyl fawr i chi ..." Gwnaeth yn siŵr un waith eto ei fod wedi mynd. "Hwyl fawr."

Rhuthrodd Alys i'r ardd i ddweud y newyddion wrth Mr Ffiaidd. Yn sydyn, clywodd sŵn ysgyrnygu mawr a thybiodd mai'r ci oedd yno. Ond mewn gwirionedd, Elisabeth y gath oedd wrthi. Syllai i fyny ar do'r sied, lle roedd Gelert yn cuddio ac yn crynu. Udai'r ci druan yn drist. "Sgit!" meddai Alys gan yrru'r gath ymaith, ac ym mhen hir a hwyr fe lwyddodd i berswadio Gelert i ddod i lawr o ben y to. Rhoddodd anwes iddo i'w gysuro.

"Dyna ni, dyna ni – mae'r gath fach ddrwg wedi mynd rŵan," meddai.

Yn sydyn, plymiodd Elisabeth tuag atyn nhw o ganol y gwrych fel llewpart. Saethodd Gelert i ben y goeden agosaf. Dechreuodd Elisabeth fartsio o gwmpas bôn y goeden fel sowldiwr, gan hisian yn fygythiol.

Cnociodd Alys ar ddrws y sied. "Helô?" meddai.

"Ai ti sydd yno, Gelert?" gofynnodd Mr Ffiaidd.

"Nage, Alys sy yma ..." *Ci yn cnocio? Mae o'n hurt bost!* meddyliodd Alys.

"O, 'mechan i! Tyrd i mewn, wir."

Trodd Mr Ffiaidd fwced â'i ben i waered i Alys eistedd arno. "Gwna dy hun yn gartrefol. Felly, wnaeth stori dy fam a fi gyrraedd y papur newydd?"

"Rydych chi ar y dudalen flaen. Edrychwch!"

Dangosodd y papur i Mr Ffiaidd, a chwarddodd y ddau. "Enwogrwydd o'r diwedd!"

"Ac mae 'na fwy. Mae'r Prif Weinidog newydd ffonio Mam."

"Winston Churchill?"

"Nage, un newydd ydi hwn. Prif Weinidog Cymru. Mae o isio i chi a Mam ymddangos ar *Pawb a'i Farn* heno."

"Ar y weiarles?"

"Nage, ar y teledu. Ac ro'n i'n meddwl, cyn i chi fynd o flaen y camerâu ..." Edrychodd Alys yn obeithiol ar Mr Ffiaidd. "Falle y byddai'n syniad da ..."

"Ie, 'mechan i?"

"Wel, mi fyddai ..."

"Ie ...?"

"Mi fyddai ..." Yna, magodd ddigon o blwc i ddweud y geiriau. "Mi fyddai'n syniad da cael bath."

Edrychodd Mr Ffiaidd arni'n amheus am rai eiliadau.

"Alys?" meddai o'r diwedd.

"Ie, Mr Ffiaidd?"

"Dydw i ddim yn ddrewllyd, nac ydw?"

Sut allai hi ateb hynny? Doedd hi ddim eisiau brifo teimladau Mr Ffiaidd, ond eto, mi fyddai popeth yn llawer haws petai Mr Sebon a Mr Ffiaidd yn dod yn ffrindiau. A Mrs Dŵr Poeth hefyd.

"Na, na, na ... wrth gwrs nad ydych chi'n ddrewllyd," meddai Alys, ar ôl llyncu ei phoer yn nerfus.

"Diolch, 'mechan i," meddai Mr Ffiaidd, gan wenu'n garedig. "Ond pam felly mae pobol yn fy ngalw i'n Mr Ffiaidd?"

Rhewodd Alys. Doedd ei phen hi ddim yn gallu troi'n ddigon sydyn i feddwl am ateb. Ond yna, meddyliodd am rywbeth eithaf credadwy i'w ddweud.

"Jôc ydi hi," meddai.

"Jôc?" gofynnodd Mr Ffiaidd.

"Ie, jôc. Gan eich bod chi'n ogleuo mor neis, mae pobol yn meddwl ei bod yn ddoniol eich galw chi'n Mr Ffiaidd."

"Wir yr?" Doedd o ddim yn swnio fel petai o'n ei chredu.

"Wir yr. Fel galw dyn byr yn Mr Mawr ... neu alw dyn tew yn Weiren Gaws."

"O, dwi'n deall rŵan. Am ddoniol!" chwarddodd Mr Ffiaidd.

Syllodd Gelert ar Alys. Roedd fel petai o eisiau dweud, *fe gest ti gyfle i ddweud y gwir, ond mi wnest ti ddewis dweud celwydd.*

Teimlodd Alys bang o gydwybod. "Ond eto," aeth

yn ei blaen, "falle na fyddai'n syniad rhy ffôl i chi gael bath sydyn. Mae o'n hwyl, wir i chi ..."

15

Amser bath

Nid amser bath arferol mo hwn. Deallai Alys fod yn rhaid i bopeth redeg fel watsh.

Dŵr poeth? ✔

Tywelion? ✔

Siampŵ? ✔

Hwyaden fach felen? ✔

Sebon? Oedd 'na ddigon o sebon yn y tŷ? Digon o sebon yn y dref? Neu ddigon o sebon yn Ewrop, hyd yn oed? Doedd Mr Ffiaidd ddim wedi cael bath ers ... wel, ers blwyddyn o leiaf, ond roedd Alys yn amau ei bod hi'n nes at ddegawd, os nad mwy. Roedd hi'n rhyw hanner amau fod y deinosoriaid ar y blaned pan gafodd Mr Ffiaidd ei fath diwethaf.

Sicrhaodd Alys fod tymheredd y dŵr yn berffaith i Mr Ffiaidd. Digon oer fel na fyddai o'n llosgi, ond digon poeth i gael gwared â'r drewdod unwaith ac am byth. Doedd hi ddim eisiau dychryn Mr Ffiaidd rhag ofn iddo wrthod mynd i'r bath byth eto, felly fe aeth hi i drafferth i osod tywelion yn daclus ar stôl fechan wrth y bath, a'r rheiny'n dal yn gynnes, braf o'r cwpwrdd crasu. Yn y cwpwrdd hefyd fe ddaeth hi o hyd i becyn o sebonau – hen ddigon i gael Mr Ffiaidd yn lân, gobeithio. Roedd pob dim yn mynd yn berffaith, ond yna ...

"Mae o wedi dianc!" gwaeddodd Dad.

"Be ti'n feddwl, 'dianc'?" gofynnodd Alys.

"Dydi o ddim yn y sied, dydi o ddim yn y tŷ. Dydi o ddim yn yr ardd chwaith. Wn i ddim ble mae o!"

"Tania injan y car!" gorchmynnodd Alys.

Gwibiodd y ddau ohonyn nhw i lawr y stryd yn

y car. Sôn am gyffro! Gyrrai Dad yn gynt nag arfer (roedd o'n dal yn braf o fewn y cyfyngiad cyflymder ...) ac roedd Alys wedi cael eistedd yn y sedd flaen. Teimlai fel ditectif mewn cyfres deledu, yn chwilio am gliwiau allweddol. Roedd ei greddf yn dweud wrthi y byddai Mr Ffiaidd wedi dychwelyd i'w hen fainc ar y stryd fawr, lle cyfarfu'r ddau y tro cyntaf.

"Stopia'r car!" gwaeddodd Alys wrth iddyn nhw fynd heibio'r fainc.

"Ond dwi ddim yn cael stopio fan hyn!" meddai Dad.

"Stopia'r car beth bynnag!"

Gwasgodd Dad y brêc yn dynn, a sgrechiodd y teiars wrth iddyn nhw stopio'n stond. Taflwyd y ddau ohonyn nhw ymlaen, a gwenodd y ddau ar ei gilydd. Roedden nhw'n teimlo fel arwyr. Llamodd Alys o'i sedd a chau'r drws yn glep ar ei hôl.

Ond doedd neb ar y fainc. Doedd Mr Ffiaidd ddim i'w weld yn unman. Cymerodd Alys anadl ddofn drwy'i ffroenau. Roedd hi'n gallu clywed ei oglau o, ond efallai fod yr oglau'n dal yno ers iddo adael yr wythnos diwethaf.

Gyrrodd Dad o gwmpas y dref am ryw awr. Aeth Alys i chwilio pob twll a chornel o'r dref lle gallai Mr Ffiaidd fod yn cuddio – dan bontydd, yn y parc, yn y caffi, y tu ôl i finiau – ond doedd dim sôn amdano. Roedd o wedi diflannu'n llwyr. Efallai ei fod o wedi gadael y dref – crwydryn oedd o, wedi'r cyfan.

"Mi fyddai'n well i ni ei throi hi am adre, cariad," meddai Dad yn dyner.

"Byddai," cytunodd Alys yn drist.

"Rho'r tegell i ferwi," meddai Dad wrth iddyn nhw gamu i mewn i'r tŷ.

Yng Nghymru, mae paned dda o de yn datrys pob problem.

Wedi syrthio oddi ar dy feic? Paned o de.

Daeargryn anferth wedi dymchwel y tŷ? Paned o de.

Yr holl deulu wedi cael eu bwyta gan ddeinosoriaid rheibus sydd wedi teithio o'r gorffennol? Dwy baned o de. A bisged.

Cydiodd Alys yn y tegell ac aeth i'w lenwi â dŵr. Edrychodd drwy'r ffenest.

Yr eiliad honno, ymddangosodd pen Mr Ffiaidd o'r pwll hwyaid. Cododd ei law arni. Sgrechiodd Alys.

Ar ôl iddi ddod ati'i hun, aeth Alys a Dad yn araf at y pwll. Roedd Mr Ffiaidd yn ymdrochi yno ac yn canu tra oedd o'n glanhau dan ei geseiliau gan ddefnyddio deilen fawr. Ar wyneb y dŵr, roedd 'na ddegau o bysgod aur marw'n arnofio.

"Prynhawn da, 'mechan i, prynhawn da, Mr Prydderch!" meddai Mr Ffiaidd yn llon. "Fydda i ddim yn rhy hir. Dydw i ddim isio i 'nghroen i fynd yn rhy grebachlyd yn y dŵr 'ma!"

"Be ... be ... be ydi hyn?" gofynnodd Dad.

"Mae Gelert a fi'n ymolchi, wrth gwrs, fel yr awgrymodd Alys y dylen ni ei wneud."

Wrth iddo ddweud ei enw, ymddangosodd Gelert o'r dyfnderoedd yn chwyn o'i gorun i'w sawdl. Fel petai hi ddim yn ddigon drwg cael bath yn y pwll hwyaid, roedd yn rhaid i Mr Ffiaidd ei rannu gyda'i gi budr hefyd. Ar ôl ychydig funudau fe ddringodd Gelert allan o'r pwll, gan adael haen drwchus o fudreddi ar wyneb y dŵr. Ysgydwodd ei gorff i'w sychu ei hun, ac fe syllodd Alys arno mewn rhyfeddod. Nid ci bach du oedd o bellach, ond ci bach gwyn.

"Mr Prydderch," meddai Mr Ffiaidd, "fyddech chi cystal ag estyn y tywel yna i mi? Diolch o galon. Bobol annwyl, dwi'n sgleinio fel swllt rŵan!"

16

Lle chwech

Sniffiodd Mam. A sniffiodd eto. Crychodd ei thrwyn mewn ffieidd-dod.

"Ydych chi'n siŵr eich bod chi wedi cael bath, Mr Ffiaidd?" gofynnodd wrth i Dad yrru'r teulu cyfan, a Mr Ffiaidd, i'r stiwdio deledu.

"Ydw, madam."

"Wel, mae 'na oglau hwyaid lond y car 'ma," meddai Mam yn y sedd flaen. "Ac oglau ci hefyd."

"Dwi'n mynd i chwydu," cyhoeddodd Siân o'r sedd gefn.

"Dwi wedi dweud o'r blaen, cariad. 'Cyfogi', nid 'chwydu', ydi gair y teulu hwn am y broses honno.

Neu mi allet ti ddweud 'mae fy stumog i'n anwadal."

I gael ychydig o awyr iach, agorodd Alys y ffenest yn dawel rhag brifo teimladau Mr Ffiaidd.

"Fyddai hi'n bosib cau'r ffenest?" gofynnodd Mr Ffiaidd. "Dwi'n oer braidd."

Caeodd Alys y ffenest.

"Diolch o galon," meddai Mr Ffiaidd. "Y fath garedigrwydd."

Stopiodd y car wrth y goleuadau traffig, ac estynnodd Dad am un o'i CDs roc trwm. Slapiodd Mam gefn ei law i'w stopio rhag diffodd y CD Mozart oedd wedi bod yn chwarae'n ddi-baid yn y car ers misoedd. *Dim ond chwarter awr arall o'r gerddoriaeth ddiflas a'r drewdod erchyll 'ma,* meddyliodd Alys.

"Mmm ... na, na, wnaiff hynny mo'r tro," meddai'r cynhyrchydd teledu wrth edrych ar Mr Ffiaidd.

"Gawn ni rwbio 'chydig o faw arno fo? Dydi o ddim yn edrych fel trempyn o gwbwl! Colur! Ble mae'r adran golur?"

Ymddangosodd merch o ben draw'r coridor, gyda brechdan yn un llaw a bag colur yn y llall.

"Oes gen ti faw yn y bag 'na, cariad?" gofynnodd y cynhyrchydd.

"Dewch y ffordd yma, Mr ...?" meddai'r ferch.

"Ffiaidd," datganodd Mr Ffiaidd yn falch. "Mr Ffiaidd. Y fi ydi seren y sioe heno."

Chwyrnodd Mam.

Er mwyn gwylio'r darllediad byw, cafodd Alys, Siân a Dad eu tywys i stafell fechan ac ynddi deledu bychan, hanner potel o win gwyn cynnes a chreision meddal.

Dechreuodd cerddoriaeth y rhaglen, ac roedd pawb yn clapio wrth i'r cyflwynydd troëdig o hunanbwysig, Syr Dafydd Dihewyd, gyfarch pawb.

"Croeso i rifyn arbennig o *Pawb a'i Farn*. Gan fod

yr etholiad ar y gorwel, yn y stiwdio heno mae gennym ni gynrychiolwyr o'r prif bleidiau, ac mae gennym hefyd drempyn o'r enw Mr Ffiaidd. Rhowch groeso iddyn nhw i gyd."

Nodiodd yr holl banelwyr yn soffistigedig – wel, pawb ond Mr Ffiaidd. "Hoffwn ddweud cymaint o fraint i mi ydi cael ymddangos ar y rhaglen hon heno," meddai.

"Diolch i chi," meddai'r cyflwynydd yn nerfus. Doedd o ddim wedi disgwyl i neb ddweud yr un gair.

"Gan fy mod i'n ddigartref, dydw i erioed wedi gweld y rhaglen hon," eglurodd Mr Ffiaidd. "A bod yn hollol onest, does gen i mo'r syniad cyntaf pwy ydych chi. Ond dwi'n siŵr eich bod chi'n dra enwog a pharchus. Ewch yn eich blaen, Syr Donald."

Chwarddodd ambell un yn y gynulleidfa. Doedd Mam ddim yn edrych yn rhy hapus. Pesychodd y cyflwynydd yn nerfus ac fe geisiodd fynd yn ei flaen.

"Felly, y cwestiwn cyntaf heno ..."

"Ydych chi'n gwisgo colur, Syr Deiniol?" gofynnodd Mr Ffiaidd yn chwilfrydig.

"Ychydig, ydw. Ar gyfer y camerâu, wrth gwrs."

"Wrth gwrs," cytunodd Mr Ffiaidd. "Powdwr ar y bochau?"

"Ie."

"Minlliw?"

"Ychydig bach."

"Wel, mae o'n edrych yn neis iawn. Dwi'n difaru na wnes i ddod â pheth efo fi. Cwyr yn y gwallt?"

Roedd y gynulleidfa'n chwerthin yn uchel erbyn hyn. Ceisiodd y cyflwynydd newid trywydd y sgwrs mor gyflym â phosib. "Mi ddylwn i egluro bod Mr Ffiaidd yma heno gan ei fod o wedi cael gwahoddiad i fyw gyda Mrs Prydderch ..."

Aeth wyneb Mam yn goch. Edrychodd y cyflwynydd ar ei nodiadau. "Yn nes ymlaen yn y rhaglen, byddwn yn trafod pwnc anodd a dadleuol iawn – pobol ddigartref."

Saethodd llaw Mr Ffiaidd i'r awyr.

"Ie, Mr Ffiaidd?" gofynnodd y cyflwynydd.

"Ga i fynd i'r tŷ bach, Syr Dyfrig?"

Dechreuodd y gynulleidfa chwerthin yn uwch fyth.

"Mi ddylwn i fod wedi mynd cyn dechrau'r rhaglen, ond mi wnes i ofyn i'r ferch colur wneud fy ngwallt i'n ddel, ac mi gymerodd hynny hydoedd. Peidiwch â 'nghamddeall i – dwi'n hapus iawn efo'i gwaith hi. Mi wnaeth hi ei olchi a'i sychu, a rhoi

ychydig o jel ynddo fo hefyd, ond wnes i ddim cael cyfle i fynd i'r lle chwech."

"Wrth gwrs, ewch chi ..."

"Llawer o ddiolch," meddai Mr Ffiaidd. Cododd Mr Ffiaidd ar ei draed a cherdded oddi ar y set. "Fydda i ddim yn hir – dim ond pi-pi dwi angen ei wneud."

Roedd y gynulleidfa ar chwâl bellach, ac ambell un yn methu anadlu gan ei fod yn chwerthin gymaint. Yn y stafell fechan, gyda'r botel o win gwyn a'r creision meddal, roedd Alys a Dad yn chwerthin hefyd. Edrychodd Alys ar Siân. Roedd hi'n trio'i gorau i beidio â chwerthin, ond roedd rhyw wên gynnil ar ei hwyneb hi hefyd.

"Mae'n wir ddrwg gen i!" ebychodd Mr Ffiaidd wrth iddo groesi'r llwyfan unwaith eto. "Y ffordd hyn mae'r tŷ bach, ie ...?"

17

Creision meddal

"A dyna pam rydw i'n credu na ddylai neb dan ddeg ar hugain oed fod yn crwydro'n strydoedd ar ôl iddi nosi." Roedd Mam wedi mynd i hwyliau, ac fe wenodd pan dderbyniodd hi gymeradwyaeth gan bawb dros ddeg ar hugain oed yn y gynulleidfa. "Ac mi ddylen nhw fod yn eu gwlâu erbyn wyth o'r gloch fan bellaf ..."

"Mae'n ddrwg gen i fod mor hir," meddai Mr Ffiaidd wrth iddo stryffaglu'n ôl i'w sedd. "Dim ond pi-pi oedd y bwriad, ond ar ôl cyrraedd y tŷ bach mi wnes i sylweddoli fod mod i eisiau pw-pw hefyd." Dechreuodd y gynulleidfa chwerthin yn afreolus eto. Roedd y panel wedi bod yn cael trafodaeth ddwys am hawliau dynol, a nawr roedden nhw'n gwrando ar drempyn yn disgrifio ei ymweliad â'r tŷ bach.

"Hynny yw, dwi fel arfer yn pw-pw rhwng 9:07 a 9:08 yn y bore, ond mi ges i frechdan wy cyn dod i'r stiwdio heno 'ma. Ai chi sy'n gwneud y brechdanau, Syr Derec?"

"Na, nid fi sy'n gwneud y brechdanau, Mr Ffiaidd. Rŵan, gawn ni ddychwelyd at y drafodaeth flaenorol ar ..."

"Wel, peidiwch â chamddeall, roedd hi'n frechdan hyfryd," aeth Mr Ffiaidd yn ei flaen, "ond weithiau, mae wy yn gwneud i mi fod eisiau mynd i'r tŷ bach. Mae'r ysfa'n dod yn ddirybudd fel arfer, yn enwedig i rywun yn ei oed a'i amser fel fi. Ydych chi'n cael yr un broblem wrth fynd yn hŷn, Syr Doris? Neu ydi eich stumog chi yn dal i fod yn ifanc ac yn iach?"

Aeth ton arall o chwerthin drwy'r gynulleidfa. Roedd hyd yn oed Siân yn chwerthin bellach.

"Rydym ni yma i drafod materion pwysicaf y dydd, Mr Ffiaidd," meddai Syr Dafydd. Roedd ei wyneb yn gochach na choch gan fod y trempyn haerllug wedi difetha ei raglen ddwys a pharchus, ac wedi'i throi'n rhyw fath o sioe gomedi. Roedd o wedi bod yn cyflwyno'r rhaglen ers deugain mlynedd a mwy, ond doedd o erioed wedi dod ar draws neb tebyg i Mr Ffiaidd. Ond roedd y gynulleidfa wrth ei bodd, a dechreuodd ambell un weiddi 'Bwwww!' ar y cyflwynydd wrth iddo geisio tawelu'r dyfroedd a mynd yn ôl at y materion pwysig. Syllodd y cyflwynydd yn filain ar y gynulleidfa cyn troi eto at Mr Ffiaidd. "Fy enw i ydi Syr Dafydd. Nid Syr Derec, Syr Donald, Syr Deiniol, Syr Dyfrig na Syr Doris. *Syr Dafydd*. Rŵan, gadewch i ni droi at y pwnc nesaf, sef pobol ddigartref. Mae ystadegau sydd wedi'u rhyddhau yr wythnos hon yn awgrymu bod 'na

12,000 o bobol ddigartref yng Nghymru heddiw. Yn eich barn chi, Mr Ffiaidd, pam mae 'na gynifer o bobol yn byw ar y strydoedd?"

Pesychodd Mr Ffiaidd i glirio'i wddw. "Wel, os ca i fod mor haerllug â dweud, dwi'n credu mai rhan fawr o'r broblem ydi'r ffaith ein bod ni'n cael ein trin fel ystadegau, ac nid fel pobol go iawn." Dechreuodd y gynulleidfa gymeradwyo ac fe wyrodd Syr Dafydd yn ei flaen i wrando ar eiriau'r trempyn. Efallai nad oedd Mr Ffiaidd yn gymaint o ffŵl wedi'r cyfan.

"Mae gan bawb ohonon ni wahanol resymau dros orfod byw ar y stryd," meddai Mr Ffiaidd yn araf ac yn bendant. "Mae gan bob person digartref stori i'w dweud. Petai pob un sy'n gwylio heno'n stopio i siarad efo person digartref, falle y bydden nhw'n deall hynny."

Roedd y gynulleidfa'n cymeradwyo'n fwy swnllyd byth erbyn hyn, ond fe dorrodd Mrs Prydderch ar draws popeth. "A dyna wnes i!" ebychodd. "Mi wnes i stopio i siarad efo'r trempyn hwn ryw ddiwrnod a'i wahodd i ddod i fyw yn fy nhŷ i. Dwi'n un sy'n rhoi pobol eraill yn gyntaf bob tro. Dyna un o fy ngwendidau pennaf i," meddai, gan wenu ar y gynulleidfa er mwyn ceisio edrych fel angel a yrrwyd o'r nefoedd.

"Wel, dydi hynny ddim yn hollol wir, Mrs Prydderch," meddai Mr Ffiaidd.

Aeth y stiwdio'n hollol dawel. Syllodd Mrs Prydderch ar Mr Ffiaidd yn filain. Roedd pawb yn y gynulleidfa'n dechrau anesmwytho yn ei sedd. Gwyrodd Alys, Siân a Dad ymlaen nes bod eu trwynau ar sgrin y teledu. Roedd mwstásh Syr Dafydd yn gwingo, hyd yn oed.

"Wn i ddim am be rydych chi'n sôn, fy nghyfaill annwyl ..."

"Dwi'n meddwl eich bod chi," meddai Mr Ffiaidd. "Y gwir plaen ydi nad *chi* roddodd wahoddiad i mi, nage."

Gwelodd Syr Dafydd ei gyfle. "Felly pwy yn union wnaeth eich gwahodd chi, Mr Ffiaidd?" gofynnodd, gan synhwyro dadl gyffrous ar fin torri.

"Alys, merch Mrs Prydderch. Dim ond deuddeg oed ydi hi ond mae hi'n ferch anhygoel. Un o'r bobol hyfryta a mwya caredig yr ydw i wedi cwrdd erioed."

Aeth Alys yn goch, goch. Dechreuodd pawb yn y stafell fach edrych arni hi, ac fe wnaeth hynny bethau'n waeth. Cuddiodd ei hwyneb â'i dwylo, ac fe rwbiodd Dad ei chefn yn gefnogol. Roedd Siân yn benderfynol o beidio â rhoi unrhyw sylw iddi, felly fe gymerodd lond ceg arall o greision meddal.

"Dwi'n credu y dylai hi ddod yma i dderbyn cymeradwyaeth," meddai Mr Ffiaidd.

"Na, na, na," mynnodd Mam.

"Na, Mrs Prydderch," meddai Syr Dafydd. "Dwi'n credu ein bod ni i gyd eisiau cwrdd â'r ferch eithriadol hon."

Cymeradwyodd y gynulleidfa eto a dechreuodd

ambell un weiddi 'A-lys, A-lys!' Ond roedd Alys yn sownd yn ei sedd gan swildod. Doedd hi ddim yn hoffi ymddangos o flaen y dosbarth yn yr ysgol, heb sôn am ymddangos o flaen miloedd o bobol ar y teledu.

Be fedrai hi ei ddweud? Be fedrai hi ei wneud? Roedd hi ar fin gwneud ffŵl ohoni'i hun ar deledu cenedlaethol. Ond roedd y gymeradwyaeth yn mynd yn fwy swnllyd fesul eiliad, a doedd dim dianc. Gafaelodd Dad yn ei llaw a'i chodi ar ei thraed.

"Rwyt ti'n swil, on'd wyt ti," sisialodd Dad.

Nodiodd Alys.

"Wel, ddylet ti ddim bod. Rwyt ti'n ferch anhygoel. Mi ddylet ti fod yn falch o'r hyn rwyt ti wedi'i wneud. Tyrd, rŵan. Mwynha dy eiliad o enwogrwydd!"

Cerddodd y ddau law yn llaw i lawr y coridor. Cyn iddyn nhw gyrraedd llygad y camerâu, gadawodd Dad iddi gerdded ar ei phen ei hun ac fe winciodd yn gynnil i'w hannog yn ei blaen. Dechreuodd y gynulleidfa gymeradwyo a chwibanu a bloeddio ei chefnogaeth. Gwenodd Mr Ffiaidd yn llydan arni, a gwenodd hi'n lletach yn ôl. Yr unig un nad oedd yn cymeradwyo oedd Mam, a phan edrychodd Alys arni fe drodd ei phen yn siarp i'r cyfeiriad arall. Roedd hyn yn gwneud Alys hyd yn oed yn fwy anghysurus, felly fe redodd nerth ei thraed oddi ar y llwyfan ac yn ôl i'r stafell fechan.

"Wel am ferch fach hyfryd," meddai Syr Dafydd. Trodd at Mam. "Rhaid i mi ofyn i chi, Mrs Prydderch, pam wnaethoch chi ddweud celwydd? Ai dim ond i drio ennill pleidleisiau yn yr etholiad?"

Edrychodd cynrychiolwyr y pleidiau eraill ar Mam gan dwt-twtian. Wrth gwrs, fydden nhw *byth* yn gwneud rhywbeth mor anfoesol ...

Dechreuodd Mam chwysu, a gallai deimlo'r colur yn diferu i lawr ei hwyneb dan oleuadau llachar y stiwdio. Roedd Dad, Alys a Siân yn eistedd yno'n gwylio hyn yn digwydd o flaen eu llygaid, ond allen nhw wneud dim byd am y peth.

"Wel, pwy fyddai isio rhyw hen drempyn yn ei dŷ?" bloeddiodd o'r diwedd. "Edrychwch arno fo, mewn difri calon! I chi sy'n gwylio adre, fedrwch chi ddim clywed y drewdod, ond dwi'n eich sicrhau chi ei fod o'n ffiaidd! Yn drewi o chwys a charthion a baw a hwyaid ac oglau ci. Mi fyddwn i'n gwneud unrhyw beth i beidio â gorfod ei weld o byth eto!"

Aeth y lle'n dawel fel y bedd. Yna, fesul un, dechreuodd pobol weiddi "Bwwww!" a hisian ac ysgyrnygu'n gas ar Mam. Edrychodd Mam ar y gynulleidfa mewn braw. Roedd hi'n mynd i fod yn noson hir ...

18

Baw cwningen

"FFI-AIDD! FFI-AIDD! FFI-AIDD!"

Agorodd Alys y llenni. Roedd 'na ddegau ar ddegau o bobol y tu allan i'r tŷ, a llond y lle o newyddiadurwyr a chamerâu teledu. Ond nid gweiddi'n flin roedden nhw. Roedden nhw yno i gefnogi Mr Ffiaidd.

Yn amlwg, roedd ymddangosiad Mr Ffiaidd ar y teledu neithiwr wedi cael dylanwad anferth. Dros nos, roedd o wedi mynd o fod yn drempyn drewllyd di-nod i fod yn drempyn drewllyd enwog.

Gwisgodd Alys ei gŵn nos a rhuthro i'r sied.

"Ydi hi'n amser stori eto? Ble roedden ni – yr athrawon canibalaidd?"

"Na, Mr Ffiaidd, na! Dydych chi ddim yn clywed y torfeydd ar y stryd?"

"Mae'n ddrwg gen i, fedra i ddim clywed gair rwyt ti'n ei ddweud," meddai. "Mi wnes i ffeindio 'chydig o faw cwningen yn yr ardd a'i roi o yn fy nghlustiau. Mae o'n help mawr i mi gysgu drwy'r twrw 'ma."

Agorodd Alys ei llygaid led y pen mewn anghrediniaeth wrth wylio Mr Ffiaidd yn tynnu dwy belen fach frown o'i glustiau a'u dangos iddi. Os byddwch chi byth ar goll yn y goedwig ac angen baw cwningen i'w roi yn eich clustiau er mwyn gallu cysgu, dyma gyfarwyddiadau cryno:

Ffig A

Ffig B

Dewch o hyd i gwningen gyfeillgar.

Arhoswch yn amyneddgar iddi fynd i'r tŷ bach.

Ffig C

Ffig Ch

Rhowch ddarn o'i baw ym mhob clust.

Gobeithiwch na fydd y drewdod yn eich cadw ar ddi-hun drwy'r nos.

"Dyna welliant," meddai Mr Ffiaidd ar ôl tynnu'r baw o'i glustiau. "Wyddost ti, mi ges i'r freuddwyd ryfedda neithiwr, 'mechan i. Ro'n i ar y teledu yn trafod materion pwysicaf ein dydd, ac roedd dy fam yno hefyd. Doniol 'de!"

"Dim breuddwyd oedd honna, Mr Ffiaidd. Mi ddigwyddodd hynny go iawn."

"O diar ..." meddai'r trempyn. "Dydi hynny ddim hanner mor ddoniol."

"O, wir i chi, Mr Ffiaidd, roedd o'n fwy na doniol. Chi oedd seren y sioe. Ac rŵan, mae 'na gannoedd o bobol wedi heidio o gwmpas y tŷ!"

"Be ar wyneb y ddaear maen nhw am ei weld?"

"Chi!" eglurodd Alys. "Maen nhw isio cyfweliad efo chi, dwi'n meddwl. Ac mae ambell un isio i chi fod yn Brif Weinidog!"

Roedd sŵn y dyrfa'n mynd yn uwch ac yn uwch bob eiliad. "FFI-AIDD! FFI-AIDD! FFI-AIDD! FFI-AIDD!"

"Bobol annwyl, dwi'n gallu'u clywed nhw. Felly, maen nhw am i mi fod yn Brif Weinidog? Ha ha! Rhaid i mi gofio ymddangos ar y teledu'n amlach! Mi fyddan nhw isio i mi fod yn Bab nesa!"

"Rhaid i chi fynd atyn nhw i'w tawelu nhw, Mr Ffiaidd. Rŵan."

"Iawn, iawn, 'mechan i. Reit, rhaid i mi edrych ar fy ngorau ar gyfer y cefnogwyr ..."

Ymbalfalodd o gwmpas y sied am ddillad, gan eu harogli nhw a rhoi ambell ddilledyn yn ôl gan ei fod yn rhy ddrewllyd. *Os oedd Mr Ffiaidd yn meddwl eu bod nhw'n ddrewllyd*, meddyliodd Alys, *yna mae'n rhaid eu bod nhw'n erchyll.*

"Mi fedrwn i roi 'chydig o ddillad yn y peiriant golchi'n sydyn," cynigiodd Alys.

"Na, dim diolch i ti, 'mechan i. Dwi ddim yn meddwl bod peiriannau golchi'n bethau glân iawn. Mi wna i ofyn i Gelert gnoi'r dillad i gael gwared â'r staeniau."

Tyrchodd drwy'r pentwr o ddillad a gafael mewn trowsus brown anhygoel o fwdlyd a drewllyd. Roedd y baw yn drwch drosto. Tybed ai brown ai gwyn oedd ei liw gwreiddiol? Beth bynnag, rhoddodd Mr Ffiaidd y trowsus i Gelert, a dechreuodd hwnnw gnoi'r rhannau mwyaf budr yn lân.

Pesychodd Alys yn betrus. "Yym ... Mr Ffiaidd, wnaethoch chi ddweud ar y teledu fod gan bob person digartref stori i'w dweud. Wel, be am eich stori chi? Hynny yw ... pam roeddech chi'n gorfod cysgu ar y stryd?"

"Be wyt *ti*'n meddwl oedd y rheswm, 'mechan i?" gofynnodd Mr Ffiaidd.

"Dim syniad. Ond mae gen i filiynau o theorïau. Falle eich bod chi wedi cael eich gadael yn y goedwig gan eich rhieni pan oeddech chi'n fabi a chael eich magu gan fleiddiaid."

"Naddo wir!" chwarddodd Mr Ffiaidd.

"Falle eich bod chi'n seren roc fyd-enwog, a'ch

bod chi wedi esgus marw er mwyn dianc rhag sylw'r cyhoedd a chael 'chydig o lonydd."

"Seren roc? Fi?!"

"Neu falle eich bod chi'n wyddonydd blaenllaw sydd wedi dyfeisio'r bom atomig mwya pwerus yn y byd, ac ar ôl deall pa mor ddinistriol oedd o, mi wnaethoch chi ddianc rhag yr awdurdodau."

"Wel, mae gen ti ddychymyg byw iawn, 'mechan i," meddai Mr Ffiaidd. "Ond mae arna i ofn nad ydi'r un o'r rheina'n gywir. Dwyt ti ddim hyd yn oed yn agos at y gwir."

"Wel, dyna siom."

"Mi wna i ddweud wrthat ti pan fydd yr amser yn iawn, Alys."

"Gaddo?"

"Gaddo. Rŵan, ga i 'chydig o funudau i mi fy hun? Dwi angen ymbaratoi ar gyfer fy ymddangosiad cyhoeddus!"

19

Gwychdramp!

"DYDW I DDIM YN MYND I YMDDIHEURO IDDO FO!"

"MAE'N RHAID I TI!"

Roedd Mr Ffiaidd yn eistedd wrth fwrdd y gegin yn darllen amdano'i hun yn y papurau newydd tra oedd Alys yn ffrio selsig ar ei gyfer. Roedd ei rhieni'n ffraeo unwaith eto yn y stafell nesa. Doedd Mr Ffiaidd ddim i fod i glywed y sgwrs, ond roedd y waliau'n denau ac roedd y gweiddi'n cryfhau bob eiliad.

"OND MAE O'N DREWI!"

"DWI'N GWYBOD EI FOD O'N DREWI, OND

DOEDD DIM ANGEN DWEUD HYNNY AR Y TELEDU!"

Gwenodd Alys ar Mr Ffiaidd. Welodd o mohoni – roedd o'n rhy brysur yn darllen y penawdau – 'Gwychdramp!' 'Trempyn drewllyd yn seren y sioe!' 'Dyn digartref yn cyffroi'r etholiad' – ac felly'n rhy brysur i wrando ar Mam a Dad yn ffraeo hefyd. Un ai hynny neu roedd o wedi rhoi baw cwningen yn ei glustiau eto.

"DWI'N GWYBOD!" taranodd Mam. "MI GES I ALWAD FFÔN GAN Y PRIF WEINIDOG NEITHIWR, AC MAE O'N DWEUD FY MOD I WEDI CODI CYWILYDD AR Y BLAID GYFAN AC MAE O ISIO I MI BEIDIO Â SEFYLL YN YR ETHOLIAD!"

"DA IAWN!"

"BE TI'N FEDDWL 'DA IAWN'?!"

"WEL, MAE'R ETHOLIAD 'MA WEDI DY DROI DI'N ANGHENFIL!" gwaeddodd Dad.

"BE?! DWI DDIM YN ANGHENFIL!"

"WYT, MI WYT TI! ANGHENFIL! ANGHENFIL! ANGHENFIL!"

"RHAG DY GYWILYDD DI!" sgrechiodd Mam.

"DOS I YMDDIHEURO IDDO FO!"

"NA WNAF!"

"YMDDIHEURA!"

Am funud, aeth popeth yn hollol dawel, a'r unig beth oedd i'w glywed oedd hisian y saim yn y badell ffrio. Yna, yn araf, agorodd y drws a daeth Mam i'r gegin yn dawel ac yn benisel. Syllai ar ei thraed fel disgybl ysgol o flaen y prifathro. Oedodd am funud, yna fe ddaeth Dad i'r drws a syllu'n gas arni. Pesychodd yn ysgafn ac yn ddramatig.

"Yym ... Mr Ffiaidd?" mentrodd Mam.

"Ie, Mrs Prydderch?" meddai Mr Ffiaidd heb godi'i ben o'i bapur newydd.

"Mae ... mae ... mae'n ddrwg gen i."

"Bobol annwyl, am be?" gofynnodd.

"Am yr hyn y dywedais amdanoch chi ar *Pawb a'i Farn* neithiwr. Am ddweud eich bod chi'n ddrewllyd. Roedd o'n beth anghwrtais iawn i'w wneud."

"Diolch yn fawr, Mrs ..."

"Galwch fi'n Janet."

"Diolch yn fawr, Janet. Mi *oedd* o'n brifo braidd, yn enwedig gan fy mod i'n ymfalchïo mewn hylendid personol. A dweud y gwir, mi ges i fath yn arbennig ar gyfer y rhaglen."

"Wel, doedd o ddim yn fath go iawn, nac oedd. Mi wnaethoch chi neidio i'r pwll hwyaid."

"Wel, nac oedd, am wn i. Ond mi wna i'r un peth y flwyddyn nesa os hoffech chi, er mwyn i mi fod yn berffaith lân."

"Ond dydych chi ddim yn lân, y twmff ..."

"Hei!" dwrdiodd Dad, gan dorri ar ei thraws.

"Dydych chi ddim yn gwybod hyn," meddai Mam wrth Mr Ffiaidd, "ond ar ôl *Pawb a'i Farn* neithiwr mi ffoniodd y Prif Weinidog i ofyn i mi beidio â sefyll yn yr etholiad."

"Ro'n i *yn* gwybod, a dweud y gwir. Mi wnes i eich clywed chi a'ch gŵr yn ffraeo ryw ddau funud yn ôl yn y stafell fyw."

"O ..." meddai Mam, yn methu dod o hyd i eiriau am y tro cyntaf ers talwm byd.

"Selsig yn barod!" cyhoeddodd Alys, gan dorri ar draws y tawelwch anghysurus.

"Rhaid i mi ei throi hi am y gwaith, cariad," meddai Dad. "Dydw i ddim isio bod yn hwyr."

"Iawn, iawn," meddai Mam yn ddi-hid, gan chwifio ei dwylo i gael gwared â'i gŵr. Sleifiodd Dad ddwy dafell o fara i'w boced ar y ffordd allan. Clywodd Alys y drws yn agor ac yn cau, ac yna clywodd ddrws y twll dan grisiau yn agor ac yn cau hefyd, yn dawel bach.

"Dim ond saith selsigen heddiw, 'mechan i," meddai Mr Ffiaidd wrth Alys. "Dydw i ddim isio

mynd yn dew. Fyddai fy nghefnogwyr ddim yn hoffi
fy ngweld i'n magu bol!"

"Cefnogwyr?!" gofynnodd Mam, gan fethu
cuddio'r ffaith ei bod hi'n flin fel tincar.

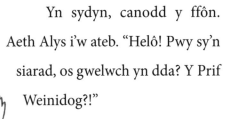

Yn sydyn, canodd y ffôn.
Aeth Alys i'w ateb. "Helô! Pwy sy'n
siarad, os gwelwch yn dda? Y Prif
Weinidog?!"

Llonnodd wyneb Mam. "O'r
diwedd! Ro'n i'n gwybod y byddai
o'n newid ei feddwl yn y pen
draw!"

"Isio siarad efo Mr Ffiaidd
mae o, a dweud y gwir," meddai
Alys. Daeth ton o siom dros
wyneb Mam yn syth.

Cydiodd Mr Ffiaidd yn y ffôn fel petai o wedi hen
arfer â derbyn galwadau gan arweinwyr y byd. "Mr
Ffiaidd yma. Ie? Ie? O, ie ...?"

Ceisiodd Mam ac Alys ddehongli'r sgwrs wrth wylio stumiau corfforol Mr Ffiaidd a'i ymateb o i'r hyn roedd gan y Prif Weinidog i'w ddweud.

"Ie, ie, ie. Wel ie, diolch i chi, Brif Weinidog."

Diffoddodd Mr Ffiaidd y ffôn a dychwelyd at y bwrdd i ddarllen ei bapur.

"*Wel*?" gofynnodd Alys.

"*Wel*?" gofynnodd Mam.

"Y Prif Weinidog oedd yna," meddai Mr Ffiaidd yn ddidaro. "Mae o am i mi fynd draw i Fae Caerdydd heddiw am baned. Mae o am i mi gymryd eich lle chi, Mrs Prydderch, fel ymgeisydd yn yr etholiad. Rŵan, Alys, ga i fwy o selsig, os gweli di'n dda?"

20

Papur tŷ bach

"Hwrêêêê!" Cododd un floedd anferth wrth i Mr Ffiaidd ymddangos yn ffenest y llofft. Y cwbwl roedd yn rhaid iddo ei wneud oedd chwifio ei law ac roedd y dyrfa wrth ei bodd. Syllai pob wyneb a phob camera ar yr arwr. Fe gododd un ferch ei babi yn uchel fel ei fod yn gallu gweld y dyn ei hun. Safai Alys ychydig gamau y tu ôl i Mr Ffiaidd, yn edrych arno fel rhiant balch. Doedd hi ddim eisiau bod yn llygad y camera – roedd yn well ganddi adael hynny i Mr Ffiaidd. Cododd hwnnw ei law, ac fe aeth pawb yn hollol dawel.

"Rydw i wedi llunio araith fer," cyhoeddodd Mr Ffiaidd, ac estynnodd ddarn hir o bapur tŷ bach a dechrau darllen y geiriau roedd o wedi'u sgwennu arno.

"Yn gyntaf oll, hoffwn ddiolch o galon i chi i gyd am ddod yma heddiw. Dwi'n teimlo'n freintiedig iawn."

"Hwrê!" gwaeddodd y dorf.

"Nid wyf i ond dyn digartref digon di-nod. Crwydryn, trempyn, dyn sy'n cysgu ar y stryd ac yn breuddwydio ar y stryd ..."

"O, tyrd yn dy flaen!" hisiodd Mam o'r tu ôl i Alys.

"Hisht!"

"Doedd gen i ddim syniad y byddwn i, drwy ymddangos ar y teledu, yn cael cymaint o ddylanwad. Y cyfan y medraf ei ddweud yw fy mod yn cwrdd â'r Prif Weinidog heddiw ym Mae Caerdydd er mwyn trafod fy nyfodol gwleidyddol."

Aeth y dyrfa'n wallgo.

"Diolch o galon eto am eich caredigrwydd anhygoel," meddai i gloi ei araith, cyn rhoi'r papur tŷ bach yn ôl yn ei boced.

"Alys?"

"Ie?" atebodd.

"Os ydw i'n mynd i gwrdd â'r Prif Weinidog, mi ddylwn i ymbincio er mwyn edrych ar fy ngorau."

Doedd Alys ddim yn hollol siŵr sut orau i'w helpu. Gan ei bod hi'n cael ei hystyried yn chwaer hyll y teulu, doedd ganddi hi ddim llawer o golur i'w gynnig i Mr Ffiaidd, felly fe gnociodd ar ddrws stafell ei chwaer er mwyn cael benthyg peth o'i cholur hi. Roedd gan Siân ddegau o fagiau yn llawn colur – dyna roedd hi'n ei gael bob Nadolig, ac roedd hi byth a beunydd yn ymbincio ac yn ymarfer gosod colur ar ei hwyneb cyn esgus ei bod hi mewn rhyw sioe ffasiwn fawreddog drwy gerdded yn ôl ac ymlaen o flaen y drych.

"Ydi o wedi mynd eto?" gofynnodd Siân.

"Nac ydi, dydi o ddim. Petaet ti'n mynd i'r drafferth o siarad efo fo, mi fyddet ti'n deall pa mor hoffus ydi o."

"Mae o'n drewi."

"Fel ti," meddai Alys. "Rŵan, dwi angen 'chydig o dy golur di."

"Pam? Dwyt ti byth yn gwisgo colur. Dwyt ti ddim yn hogan ddel, felly be 'di'r pwynt?"

Am ychydig eiliadau, dychmygodd Alys nifer o sefyllfaoedd lle byddai Siân yn dioddef ambell anffawd

– glanio mewn pwll o bysgod pirana, cael ei gadael yn yr Arctig yn gwisgo dim byd ond ei ddillad isaf, cael ei gorfodi i fwyta siocled nes ei bod hi'n ffrwydro ...

"Ar gyfer Mr Ffiaidd mae o," meddai, ar ôl gorffen dychmygu.

"Dim ffiars o beryg."

"Mi wna i ddweud wrth Mam mai ti ydi'r un sydd wedi bod yn dwyn ei hoff siocledi hi."

"Pa rai wyt ti isio?" gofynnodd Siân cyn i Alys allu gorffen ei brawddeg.

Yn nes ymlaen, eisteddai Mr Ffiaidd ar bot blodau yn y sied tra oedd y ddwy ferch yn tendio arno.

"Dydi hyn ddim yn ormod, nac ydi?" gofynnodd y trempyn.

Yn groes i'w disgwyliadau, roedd Siân yn ei helfen yn rhoi colur ar Mr Ffiaidd ac wedi mynd dros ben llestri braidd. Oedd powdwr pinc a sêr bach arian ar ei fochau yn gweddu iddo mewn

gwirionedd, yn enwedig ac yntau ar fin cwrdd â'r Prif Weinidog?

"Yym ..." mwmialodd Alys.

"Na, rydych chi'n edrych yn wych, Mr Ffiaidd!" meddai Siân, gan roi clip gwallt pilipala ar ei ben. "Mae hyn yn gymaint o hwyl! Dyma'r Noswyl Nadolig orau ers talwm byd."

"Ddylet ti ddim bod yn canu carolau yn y capel neu rywbeth?" gofynnodd Alys yn amheus.

"Dylwn, ond dwi'n casáu gorfod gwneud. Mae o mor ddiflas. Mae hyn yn gymaint mwy o hwyl!" Syllodd Siân yn ddwys. "A dweud y gwir, mae gwneud yr holl chwaraeon a'r holl hobïau 'ma'n ddiflas weithiau."

"Felly pam rwyt ti'n dal i'w gwneud nhw?" gofynnodd Alys.

"Ie, pam rwyt ti'n dal ati, 'mechan i?" ymunodd Mr Ffiaidd.

Oedodd Siân am funud. "Dwi ddim yn hollol siŵr. I wneud Mam yn hapus, falle."

"Ond fydd dy fam byth yn hollol hapus os nad wyt ti'n hapus hefyd. Rhaid i ti ddod o hyd i'r pethau sy'n dy wneud *di* yn hapus," meddai Mr Ffiaidd yn ddoeth. Roedd yn anodd ei gymryd o ddifri gyda'r clip gwallt ar ei ben a'r sêr arian ar ei fochau.

"Wel ... mae hyn wedi fy ngwneud i'n hapus," meddai Siân. Gwenodd ar Alys am y tro cyntaf ers blynyddoedd. "Mae bod yn dy gwmni di wedi fy ngwneud i'n hapus."

Gwenodd Alys yn ôl, a wyddai'r un o'r ddwy beth i'w ddweud am funud.

"Ond be amdana i?" gofynnodd Mr Ffiaidd.

"Chi hefyd, wrth gwrs!" chwarddodd Siân. "Mae rhywun yn dod i arfer â'r drewdod ar ôl ychydig," sibrydodd wrth Alys.

Yn sydyn iawn, dechreuodd yr holl sied grynu'n wyllt. Rhuthrodd Alys at y drws a gweld hofrenydd yn hofran yn yr awyr uwch eu pennau. Gyda'r injan yn canu grwndi, glaniodd yn yr ardd yn araf ac yn ofalus.

"O, ie hefyd. Mi ddywedodd y Prif Weinidog y byddai o'n gyrru un o'r pethau 'na i fynd â ni i Fae Caerdydd," meddai Mr Ffiaidd.

"Ni?" gofynnodd Alys.

"Ie, siŵr. Doeddet ti ddim yn meddwl 'mod i am fynd ar fy mhen fy hun, nac oeddet?"

21

Hances!

"Pam na ddoi di hefyd?" gwaeddodd Alys dros sŵn yr hofrenydd.

"Na, dy awr fawr di ydi hon, Alys," atebodd Siân. "Ti sy'n haeddu hyn. A beth bynnag, mae'r hofrenydd 'na'n sobor o fach. Mi fydd y drewdod yn ofnadwy ..."

Gwenodd Alys a chwifio'i llaw i ffarwelio â'i chwaer. Esgynnodd yr hofrenydd i'r awyr, a'r gwynt o'r rotor yn chwalu'r blodau a'r llysiau yn yr ardd wrth iddo godi. Roedd gwallt Mam yn edrych fel mop mewn corwynt, ac fe chwythwyd Elisabeth y gath o un pen yr ardd i'r llall. Ceisiodd afael yn y pridd â'i chrafangau, ond roedd y gwynt yn rhy gryf ac fe saethodd fel bwled o wn yn syth i'r pwll hwyaid.

Plop!

Edrychodd Gelert ar y gath o glydwch yr hofrenydd, a gwenu.

Wrth iddyn nhw esgyn i'r awyr, gwelai Alys y tŷ, y stryd a'r holl dref yn mynd yn llai ac yn llai. Yn fuan iawn, roedd y dref yn edrych fel smotyn bychan du ar gefndir gwyrdd. Roedd yn brofiad anhygoel. Am y tro cyntaf erioed, teimlai Alys mai hi oedd canolbwynt y byd. Edrychodd ar Mr Ffiaidd. Roedd o wedi dod o hyd i ddarn o daffi yn ei boced, ac er ei fod o'n edrych fel petai o wedi bod yno ers y 1950au, rhoddodd y darn yn ei geg a'i lyncu'n gyfan. Edrychai'n hollol ddigynnwrf, fel petai o wedi hen arfer â mynd i weld y Prif Weinidog yn wythnosol.

Gwenodd Alys arno, a gwenodd yntau'n ôl â'i

lygaid yn disgleirio. Pan wnâi o hynny, roedd rhywun yn tueddu i anghofio am y drewdod.

Tapiodd Mr Ffiaidd ysgwydd y peilot. "Oes 'na fwyd i'w gael yma, tybed?" gofynnodd.

"Dim ond hediad byr ydi o, syr."

"Be am baned o de a brechdan, 'te?"

"Mae'n ddrwg iawn gen i, syr," gyda phendantrwydd a ddangosai'n glir fod y sgwrs ar ben.

"Siom fawr," meddai Mr Ffiaidd.

Roedd Alys yn gyfarwydd â'r Senedd ym Mae Caerdydd – gwelai'r lle bob wythnos ar y rhaglenni gwleidyddol roedd Mam yn ei gorfodi i'w gwylio bob bore Sul. Adeilad mawr, trawiadol oedd o, a phobol bwysig mewn siwtiau yn gwibio i bob cyfeiriad oddi mewn iddo. Roedd 'na heddlu wrth y drws yn sicrhau nad oedd unrhyw ddihiryn yn cael mynd i mewn i'r Senedd. *Petawn i'n ymuno â'r heddlu,* meddyliodd Alys, *mi fyddwn i isio rhedeg ar ôl dihirod, yn hytrach na sefyll yn llonydd fan hyn drwy'r dydd bob dydd.* Ond penderfynodd beidio â dweud hynny wrth yr heddlu wrth iddi fynd heibio iddyn nhw – dim ond gwenu'n garedig.

"Eisteddwch i lawr. Fydd y Prif Weinidog ddim yn hir," meddai un o staff personol y Prif Weinidog. Roedden nhw wedi arfer â chael pobol bwysica'r byd yn westeion yn y Senedd, yn brif weinidogion ac yn frenhinoedd a breninesau, ond heddiw roedd 'na ferch fach a thrempyn drewllyd yno.

Roedden nhw mewn stafell fawr, lydan, gyda nenfwd wydr uchel, yn llawn o luniau a cherfluniau o bobol enwog. Roedd y tinsel Nadolig ar ambell lun yn gwneud i'r wynebau edrych yn llai bygythiol. Yn sydyn, agorodd y drysau dwbwl mawr o'u blaen a daeth llond y lle o bobol bwysig yr olwg i mewn i'r stafell, ac yn eu plith nhw y Prif Weinidog.

"Prynhawn da, Mr Afiach!" meddai'r Prif Weinidog, gan estyn ei law.

"Mr Ffiaidd, syr ..." meddai un o'r bobol bwysig mewn siwt.

"Sut ydych chi, gyfaill?" gofynnodd y Prif Weinidog. Roedd ewinedd ei law wedi'u siapio'n berffaith a chroen ei ddwylo'n feddal fel croen babi. Estynnodd Mr Ffiaidd ei law fawr fudr, lysnafeddog i ysgwyd llaw'r Prif Weinidog. Edrychodd ar y Prif Weinidog ar ei law ar ôl ysgwyd llaw Mr Ffiaidd – roedd hi'n faw drosti.

"Hances!" mynnodd y Prif Weinidog. "Rŵan!"

Rhuthrodd un o'r bobol bwysig i nôl hances i sychu llaw'r Prif Weinidog. Heb wneud gormod o ffwdan, sychodd y Prif Weinidog ei law, a rhoi'r hances yn ôl i'r dyn pwysig, druan.

"Mae'n bleser cael cwrdd â chi, Brif Weinidog," meddai Mr Ffiaidd, yn swnio'n llipa braidd.

"Galwch fi'n Gerwyn," meddai'r Prif Weinidog. "Bobol annwyl, mae'r dyn hwn yn ogleuo fel tŷ bach!" sibrydodd dan ei wynt.

Edrychodd Mr Ffiaidd ar Alys, yn amlwg wedi'i frifo. Roedd o wedi clywed y sibrydiad, ond wnaeth y Prif Weinidog ddim sylwi. "Felly, fy nghyfaill digartref, mi glywais eich bod chi wedi gwneud cryn argraff ar *Pawb a'i Farn* y noson o'r blaen," aeth yn ei flaen. "Rhyfedd o fyd! Ha ha ha!" Sychodd ddeigryn dychmygol o'i lygad. "Dwi'n meddwl y gallech chi fod o ddefnydd i ni."

"*O ddefnydd*?" gofynnodd Alys yn amheus.

"Ie. Mae pawb yn gwybod nad ydi pethau'n edrych yn dda iawn o'm rhan i ar gyfer yr etholiad. Mae'r polau piniwn ar hyn o bryd yn dangos bod y cyhoedd yn meddwl fy mod i'n ..."

Agorodd un o'r bobol bwysig ei ffeil a fflicio trwy ddegau ar ddegau o dudalennau o ffeithiau a rhifau.

"... yn ofnadwy."

"Ofnadwy. Iawn. *Diolch*, Rhys," meddai'r Prif Weinidog yn goeglyd.

"Rhun ydw i."

"Ta waeth." Trodd y Prif Weinidog yn ôl at Mr Ffiaidd. "Rŵan, dwi'n meddwl y byddai cael trempyn fel chi'n ymgeisydd, yn lle Mrs Prydderch, yn gwneud gwyrthiau. Mae hi'n llawer rhy hwyr i gael neb arall rŵan, felly chi ydi'r ymgeisydd perffaith. Rydych chi'n ddoniol ac yn gwneud i bawb chwerthin. Hynny yw, chwerthin ar eich pen chi."

"Pardwn?" meddai Alys, yn teimlo rheidrwydd i amddiffyn ei chyfaill.

Ond ei hanwybyddu wnaeth y Prif Weinidog. "Syniad da, dydi? Syniad da iawn. Petaech chi'n ymuno â'r blaid, mi fyddai pobol yn cael eu twyllo i feddwl ein bod ni'n *poeni* am bobol ddigartref! Falle y byddwch chi'n Weinidog dros Osgowyr Sebon ryw ddiwrnod!"

"Osgowyr Sebon?" gofynnodd Mr Ffiaidd.

"Ie – pobol sy'n osgoi sebon! Mewn geiriau eraill, pobol ddigartref."

"Dwi'n gweld," meddai Mr Ffiaidd. "Ac fel Gweinidog dros Bobol Ddigartref, fyddwn i'n gallu helpu pobol ddigartref eraill?"

"Wel, na," atebodd y Prif Weinidog. "Fyddai hynny ddim yn *golygu* dim byd, ond mi fyddai'n gwneud i mi edrych fel dyn caredig ac elusengar. Wel, be amdani, Mr Chwyslyd?"

Roedd Mr Ffiaidd yn anesmwyth braidd. "Dwi ... dwi ... dwi ddim yn siŵr ..."

"Peidiwch â bod yn hurt!" chwarddodd y Prif

Weinidog. "Trempyn ydych chi! Does gennych chi ddim byd gwell i'w wneud!"

Dechreuodd y bobol bwysig chwerthin hefyd. Yn sydyn, cofiodd Alys am yr ysgol. Roedd y Prif Weinidog a'r bobol bwysig yn ymddwyn yn union fel y criw o ferched cas yn ei blwyddyn hi. Gan ei fod o'n methu dod o hyd i'r geiriau cywir, edrychodd Mr Ffiaidd ar Alys am help.

"Brif Weinidog ...?" mentrodd Alys.

"Ie?" atebodd gyda gwên annisgwyl.

"Pam na wnewch chi sticio eich cynnig i fyny eich pen-ôl?"

"Dyna'n union ro'n i am ei ddweud, Alys!" chwarddodd Mr Ffiaidd. "Hwyl fawr, Brif Weinidog, a Nadolig Llawen i chi i gyd!"

22

Yr haf hirfelyn

Doedd Alys a Mr Ffiaidd ddim yn cael mynd adre ar yr hofrenydd. Roedd yn rhaid iddyn nhw ddal y bws.

Gan ei bod hi'n Noswyl Nadolig, roedd y bws yn llawn dop o bobol, a'r rheiny wedi'u claddu dan fynyddoedd o fagiau siopa. A chan fod Alys a Mr Ffiaidd wedi eistedd ar y llawr uchaf, roedd brigiau noethion y coed yn crafu yn erbyn ffenestri llysnafeddog y bws.

"Wnest ti weld ei wyneb o'n syrthio pan wnest ti ddweud wrtho fo lle yn union i roi ei gynnig?!" gofynnodd Mr Ffiaidd.

"Do! Fedra i ddim credu 'mod i wedi dweud hynna!" atebodd Alys.

"Dwi'n falch ofnadwy dy fod di wedi gwneud," meddai Mr Ffiaidd. "Diolch i ti am achub fy ngham i."

"Wel, mi wnaethoch chi fy achub i rhag y Tracey ofnadwy 'na!"

"'Sticio eich cynnig i fyny eich pen-ôl!' Am ddrwg! Ond eto, mae'n beryg y byddwn i wedi dweud rhywbeth gwaeth fyth! Ha!"

Chwarddodd y ddau. Estynnodd Mr Ffiaidd hen hances boced ddu er mwyn sychu ei ddagrau o lawenydd. Wrth iddo wneud hynny, edrychodd Alys ar yr hances. Daliodd rhywbeth ei sylw a syllodd yn fwy manwl. Hances sidan oedd hi, ac roedd 'na enw wedi cael ei bwytho'n gain arni ...

"Arglwydd ... Penfro?" gofynnodd.

Roedd 'na dawelwch am funud.

"Ai *chi* ydi o?" gofynnodd Alys. "Ydych chi'n arglwydd?"

"Na, na ..." meddai Mr Ffiaidd. "Dim ond rhyw hen drempyn ydw i. Hen grwydryn, dyna i gyd. Mi ges i'r hances 'ma mewn ... mewn ... mewn ffair sborion."

"Ga i weld y llwy arian eto?" gofynnodd Alys yn dyner.

Ymddangosodd rhyw hanner gwên ar wyneb Mr Ffiaidd. Estynnodd y llwy o'i boced yn araf a'i rhoi i Alys yn anfoddog. Wrth edrych arni'n fanwl, sylweddolodd Alys ei bod hi'n anghywir. Nid tair llythyren oedd wedi cael eu naddu ar y llwy, ond un. Un llythyren *P* fawr, a dau lew o boptu iddi.

"Y chi ydi o! Arglwydd Penfro!" meddai Alys mewn cyffro. "Ga i weld yr hen lun 'na eto?"

Tynnodd Mr Ffiaidd yr hen lun du a gwyn bregus o'i boced.

Syllodd Alys arno am rai eiliadau. Roedd hi'n ei gofio'n iawn. Y cwpwl ifanc golygus, y car Rolls-Royce sgleiniog a'r plasty mawr yn y cefndir. Ond o edrych yn fwy manwl, gallai weld tebygrwydd rhwng y dyn trwsiadus yn y llun a'r trempyn blêr wrth ei hymyl. "A dyna chi yn y llun."

Daliodd Alys y llun yn ofalus – roedd hi'n gwybod ei bod hi'n gafael mewn rhywbeth gwerthfawr iawn. Roedd Mr Ffiaidd yn edrych yn llawer iau yn y llun, yn enwedig heb ei farf a heb yr haen o faw dros ei wyneb. Ond roedd ei lygaid yn disgleirio. Y fo oedd o, heb unrhyw amheuaeth.

"Craff iawn, 'mechan i," meddai Mr Ffiaidd. "Ie, y fi ydi o. Amser maith, maith yn ôl."

"A phwy ydi'r ddynes sydd efo chi?"

"Fy ngwraig i."

"Eich gwraig chi? Wyddwn i ddim eich bod chi'n briod."

"Doeddet ti ddim yn gwybod fy mod i'n arglwydd chwaith," meddai Mr Ffiaidd.

"A rhaid mai dyna eich tŷ chi, felly," meddai Alys, gan bwyntio at y plasty mawreddog yn y llun. Nodiodd Mr Ffiaidd. "Ond pam nad ydych chi'n byw yno rŵan?"

"Mae hi'n stori hir iawn, 'mechan i," meddai Mr Ffiaidd, gan osgoi'r cwestiwn.

"Ond dwi isio ei chlywed hi," meddai Alys. "Plis. Dwi wedi dweud cymaint wrthoch chi am fy mywyd fy hun, ac mi fyddwn i'n hoffi clywed mwy am eich bywyd chi, Mr Ffiaidd. O'r munud y gwnes i gwrdd â chi, ro'n i'n gwybod fod gennych chi stori anhygoel i'w dweud."

Anadlodd Mr Ffiaidd yn drwm. "Wel, mi oedd gen i'r cyfan, 'mechan i. Mwy o arian nag y gallwn i byth ei wario, a chlamp o blasty mawr a gerddi anferth. Roedd bywyd fel haf diddarfod. Chwarae criced ar y lawnt, a darllen am oriau yn heulwen yr haf hirfelyn. Ac i goroni pethau, mi wnes i briodi'r ferch, harddaf, fwyaf clyfar, ddoniolaf, anwylaf yn y byd i gyd. Fy nghariad oes i, Gwenllian."

"Mae hi'n brydferth."

"Ydi, mae hi. Wel, roedd hi. Yn brydferth y tu hwnt i eiriau. Roedden ni'n wirion o hapus, wyddost ti."

Roedd popeth yn gwneud synnwyr rŵan. Y ffordd roedd Mr Ffiaidd wedi taflu'r papur 'na i'r bin fel petai o'n chwaraewr criced proffesiynol, y llwy arian, y ffaith ei fod o'n mynnu cerdded ar ochr y palmant sydd agosaf at y ffordd, ei ymddygiad boneddigaidd wrth y bwrdd bwyd, y ffordd roedd o wedi addurno'r sied yn chwaethus. Syrthiodd popeth i'w le. Roedd o'n arglwydd – yn un o'r bonedd.

"Yn fuan ar ôl i'r llun 'na gael ei dynnu, daeth Gwenllian yn feichiog," meddai Mr Ffiaidd. "Roeddwn i ar ben fy nigon. Ond un noson, a hithau wedi bod yn feichiog ers wyth mis, mi wnaeth fy ngyrrwr personol fy ngyrru i Gaerdydd ar gyfer parti efo hen ffrindiau ysgol. A dweud y gwir, 'chydig cyn y Nadolig oedd hi. Ro'n i yno tan yr oriau mân, yn sgwrsio, yn yfed ac yn smocio sigârs yn hollol hunanol ..."

"Hunanol?" gofynnodd Alys.

"Ie. Ddylwn i erioed fod wedi mynd i'r parti. Cawson ni'n dal mewn storm eira ar y ffordd adre. Erbyn i mi gyrraedd adre roedd y wawr wedi torri, ac roedd y tŷ ar dân ..."

"O na!" llefodd Alys. Roedd hi'n difaru gofyn bellach.

"Rhaid bod darn o lo wedi syrthio o'r lle tân yn y stafell wely, ac wedi rhoi'r carped ar dân. Mi wnes i lamu allan o'r Rolls-Royce a chropian drwy'r eira trwchus. Mi wnes i drio gwthio fy ffordd i mewn i'r tŷ, ond wnaeth y frigâd dân ddim gadael i mi. Roedd yn rhaid i bump ohonyn nhw fy nal i'n ôl. Mi wnaethon nhw drio ei hachub hi, ond roedd hi'n rhy hwyr. Roedd y to wedi syrthio. Doedd ganddi hi ddim gobaith."

"O mam bach!" ebychodd Alys.

Syrthiodd deigryn o lygad Mr Ffiaidd. Wyddai Alys ddim beth i'w wneud. Doedd hi ddim wedi arfer â delio ag emosiynau, ond fe gydiodd yn ei law'n dyner i'w gysuro. Crynai Mr Ffiaidd, a gwyddai Alys fod gwerth hanner canrif o boen a galar yn ei ddagrau.

"Petawn i heb fod yn y clwb y noson honno, mi fyddwn i wedi gallu'i hachub hi. Mi fyddwn i wedi gallu'i dal hi drwy'r nos a'i chadw hi'n gynnes ac yn saff. Fyddai dim angen tân yn y stafell wedyn. Fy annwyl, annwyl Gwenllian." Gwasgodd Alys ei law'n dynnach.

"Ond dim arnoch chi roedd y bai am y tân."

"Mi ddylwn i fod wedi bod yno efo hi. Mi ddylwn i fod wedi bod yno ..."

"Damwain oedd hi," meddai Alys. "Rhaid i chi faddau i chi'ch hun."

"Fedra i ddim. Fedra i byth."

"Rydych chi'n ddyn da, Mr Ffiaidd. Damwain oedd hi – damwain erchyll. Rhaid i chi gredu hynny."

"Diolch, 'mechan i. Ddylwn i ddim crio. Ddim ar y bws." Sychodd Mr Ffiaidd fwy o'i ddagrau er mwyn ceisio cuddio ei alar.

"Felly," meddai Alys, "sut wnaethoch chi ddiweddu'n cysgu ar y stryd?"

"Wel, ro'n i wedi torri 'nghalon. Doedd gen i neb i droi ato nac unman i fynd. Ro'n i wedi colli cariad oes a fy mabi bach. Ar ôl yr angladd, mi wnes i drio mynd yn ôl i'r tŷ, a byw am 'chydig mewn rhan o'r tŷ nad oedd wedi cael ei losgi gan y tân. Ond do'n i ddim yn gallu cysgu na byw yn fy nghroen yno. Roedd y lle mor llawn o atgofion poenus o felys, ac roedd yr hunllefau'n erchyll. Ro'n i'n dal i weld ei hwyneb hi yn y fflamau. Roedd yn rhaid i mi ddianc. Un bore, mi wnes i ddechrau cerdded, a wnes i byth droi yn ôl."

"Mae'n ddrwg ofnadwy gen i glywed," meddai Alys. "Petai pobol ond yn gwybod am hyn ..."

"Fel y gwnes i sôn ar y teledu, mae gan bob person digartref stori i'w dweud," meddai Mr Ffiaidd. "Dyna fy stori i. Mae'n ddrwg gen i nad ydi hi'n sôn am fôr-ladron na siarcod na dim byd cyffrous fel'na. Dydi bywyd go iawn ddim fel'na, mae arna i ofn. Ac mae'n ddrwg gen i os ydw i wedi dy ypsetio di."

"Rhaid bod y Nadolig yn uffern i chi," meddai Alys.

"Ydi, ydi, wrth gwrs. Gan fy mod i mor drist a phawb arall mor hapus, mae'n anodd iawn ei ddioddef. Mae o'n gyfnod pan mae teuluoedd yn dod at ei gilydd i fwynhau. I mi, mae o'n gyfnod o gofio'r teulu na ches i erioed."

Roedd hi'n bryd i'r ddau ddod oddi ar y bws, a gafaelodd Alys ym mraich Mr Ffiaidd wrth iddyn nhw gerdded adre. Roedd y cefnogwyr a'r camerâu teledu wedi mynd, diolch byth, a'r trempyn anarferol hwn yn hen newyddion bellach.

"Mi fyddwn i'n gwneud unrhyw beth i'ch gwneud chi'n hapus," meddai Alys.

"Ond *rwyt* ti'n fy ngwneud i'n hapus, 'mechan i. Dwi wedi bod yn hapus ers y tro cynta y gwnest ti ddod draw i siarad efo fi. Rwyt ti wedi fy nysgu sut i wenu eto. Wyddost ti, petawn i wedi cael merch, mi fyddwn i am iddi fod fel ti."

Wyddai Alys ddim beth i'w ddweud. Roedd geiriau Mr Ffiaidd wedi cyffwrdd ei chalon hi, gan ei thristáu a'i llawenhau hi yr un pryd. "Wel," meddai o'r diwedd, "mi fyddech chi wedi gwneud tad penigamp."

"Diolch, 'mechan i. Rwyt ti mor garedig."

Wrth iddyn nhw ddod yn nes at y tŷ, sylweddolodd Alys rywbeth. Doedd hi ddim eisiau mynd adre. Doedd hi ddim eisiau gorfod byw gyda'i mam droëdig a gorfod mynd i'r ysgol ofnadwy 'na eto. Cerddodd y ddau mewn tawelwch am funud, yna fe anadlodd Alys yn ddwfn cyn troi at Mr Ffiaidd.

"Dydw i ddim isio mynd adre," meddai. "Dwi isio crwydro efo chi."

23

Tylluanod addurniedig

"Mae'n ddrwg gen i, 'mechan i, ond dydi hi ddim yn bosib i ti ddod efo fi," meddai Mr Ffiaidd.

"Pam ddim?!" protestiodd Alys.

"Am gant a mil o resymau!"

"Enwch un ohonyn nhw!"

"Mae'n rhy oer."

"Dwi ddim yn meindio'r oerfel."

"Wel," meddai Mr Ffiaidd, "mae byw ar y stryd yn llawer rhy beryglus i ferch ifanc fel ti."

"Dwi bron yn dair ar ddeg!"

"Mae'n bwysig ofnadwy nad wyt ti'n colli'r ysgol."

"Dwi'n casáu'r ysgol," meddai Alys. "Plis, plis,

plis, Mr Ffiaidd. Gadewch i mi ddod efo chi a Gelert. Dwi isio bod yn grwydryn fel chi."

"Meddylia'n ofalus am funud, 'mechan i," meddai Mr Ffiaidd. "Be ar wyneb y ddaear fyddai dy fam yn ei ddweud?"

"Dwi ddim yn poeni," poerodd Alys. "Dwi'n ei chasáu hi hefyd."

"Dwi wedi dweud wrthat ti o'r blaen – ddylet ti ddim dweud hynna."

"Ond mae o'n wir."

Ochneidiodd Mr Ffiaidd. "Rwyt ti'n reit benderfynol, yn dwyt?"

"Ydw! Cant y cant!"

"Wel, o'r gorau, gwell i mi fynd i drafod efo dy fam."

Gwenodd Alys yn llydan. Roedd hyn yn wych! Roedd o'n mynd i ddigwydd. Roedd hi'n mynd i fod yn rhydd o'r diwedd! Dim mwy o gael ei gyrru i'r gwely'n gynnar. Dim mwy o waith cartref

Mathemateg. Dim mwy o wisgo ffrogiau melyn erchyll oedd yn gwneud iddi edrych fel da-da. Doedd hi erioed wedi teimlo'r fath gyffro. Roedd Mr Ffiaidd a hi am grwydro'r byd gyda'i gilydd, yn bwyta selsig i frecwast, cinio a swper, yn cael bath mewn pyllau hwyaid, yn gwagio pob caffi ym mhob tref ...

Aeth Alys i mewn i'r tŷ. Tra oedd hi'n rhuthro o gwmpas fel rhywbeth o'i go, yn taflu ei holl ddillad i mewn i fag, roedd hi'n gallu clywed lleisiau yn y gegin lawr grisiau. *Wnaiff Mam ddim poeni*, meddyliodd Alys. *Wnaiff hi prin sylwi! Dydi hi ddim yn poeni amdana i beth bynnag. Yr unig bethau sy'n bwysig iddi hi ydi Siân a hi ei hun.*

Edrychodd Alys o'i chwmpas ar ei stafell wely binc. Yn annisgwyl, teimlodd ryw wayw o hiraeth wrth feddwl ei bod hi'n gadael y cyfan ar ôl. Byddai'n hiraethu am Dad, wrth gwrs, a Siân, ac Elisabeth hyd yn oed, ond roedd bywyd newydd yn aros amdani.

Bywyd o antur a dirgelwch. Bywyd o ddyfeisio straeon am fampirod ac athrawon canibalaidd. Bywyd o dorri gwynt yn wynebau bwlis!

Cnociodd rhywun ar y drws yn dyner. "Dwi bron yn barod, Mr Ffiaidd!" meddai Alys, a thaflu'r dylluan addurniedig olaf i mewn i'r bag.

Agorodd y drws yn araf. Trodd Alys a neidio mewn braw.

Nid Mr Ffiaidd oedd o.

Safai Mam wrth y drws, a'i llygaid yn goch ar ôl iddi fod yn crio. Syrthiodd deigryn o'i llygad i lawr ei hwyneb.

"Fy Alys annwyl i," meddai drwy ei dagrau, "mae Mr Ffiaidd yn dweud dy fod di'n gadael. Plis, plis, paid â mynd. Dwi'n erfyn arnat ti."

Doedd Alys erioed wedi gweld Mam yn edrych mor drist. Yn sydyn iawn, daeth ton o euogrwydd drosti. "Ond ... ro'n i ... yn ... yn meddwl ... na fyddech chi'n poeni," meddai.

"Poeni?! Fedrwn i ddim byw yn fy nghroen petaet ti'n gadael." Roedd y dagrau'n powlio o lygaid Mam rŵan. Fyddai Mam byth yn crio fel arfer, ac roedd o fel edrych ar berson cwbwl wahanol.

"Be mae Mr Ffiaidd wedi'i ddweud wrthoch chi?" gofynnodd Alys.

"Mi ges i fy rhoi yn y lle gan yr hen ddyn," meddai Mam. "Mi ddywedodd o pa mor anhapus wyt ti yma. Pa mor wael ydw i fel mam. Sut y dylwn i wella fel rhiant. Mi ddywedodd ei fod o wedi colli ei deulu o, ac y byddai'r un peth yn digwydd i mi petawn i ddim yn bod yn ofalus. Ro'n i'n teimlo mor euog. Dwi'n gwybod nad ydyn ni'n deall ein gilydd bob amser, Alys, ond dwi'n dy garu di. Dy garu di'n angerddol."

Wyddai Alys ddim beth i'w ddweud. Roedd hi wedi dychmygu y byddai Mr Ffiaidd yn dweud wrth Mam ei fod o ac Alys yn gadael, ond yn lle hynny roedd o wedi gwneud i Mam grio. Roedd hi'n gandryll efo fo. Nid dyma sut roedd pethau i fod i ddigwydd!

Y munud hwnnw, daeth Mr Ffiaidd i fyny'r grisiau'n benisel. Safodd ychydig y tu ôl i Mam.

"Mae'n ddrwg gen i, Alys," mentrodd. "Gobeithio y gwnei di faddau i mi."

"Pam wnaethoch chi ddweud hynna?!" gofynnodd Alys yn flin. "Ro'n i'n meddwl ein bod ni am fynd i grwydro'r byd gyda'n gilydd."

Gwenodd Mr Ffiaidd yn garedig. "Un diwrnod, falle y cei di grwydro'r byd ar dy ben dy hun," meddai. "Ond am rŵan, coelia fi, rwyt ti angen dy deulu. Mi fyddwn i'n rhoi'r byd i gyd am gael Gwenllian yn ôl. Y byd i gyd."

Roedd coesau Mam yn crynu gymaint roedd hi'n edrych fel petai hi ar fin syrthio. Eisteddodd ar wely Alys, gan blannu ei phen yn y gobennydd a beichio crio. Edrychodd Alys yn fud ar Mr Ffiaidd. Ym mêr ei hesgyrn, gwyddai ei fod o'n iawn.

"Wrth gwrs y gwna i faddau i chi," meddai o'r diwedd, a gwenodd Mr Ffiaidd yn garedig, a'i lygaid yn disgleirio unwaith eto.

Eisteddodd Alys ar y gwely wrth ymyl Mam a rhoi ei braich am ei hysgwydd.

"A dwi'n eich caru chi, Mam. Yn fawr iawn."

24

Ych-a-fi

Roedd pawb wedi mynd i hwyliau Noswyl Nadolig bellach, ac yn eistedd yn y stafell fyw. Chwifiodd Dad focs mawr o fisgedi siocled o dan drwyn Mr Ffiaidd. "Gymerwch chi fisged?" gofynnodd.

Roedd Dad eisoes wedi bwyta tipyn go lew ohonyn nhw ar ôl bod yn cuddio yn y twll dan grisiau drwy'r dydd heb ddim ond dwy dafell o fara i'w bwyta. Edrychodd Mr Ffiaidd ar y bocs yn amheus.

"Oes gynnoch chi rai sydd wedi mynd yn hen?" gofynnodd. "Rhai sydd wedi llwydo?"

"Na, dwi ddim yn meddwl ..." atebodd Dad.

"Dim diolch felly," meddai Mr Ffiaidd. Rhoddodd anwes i Gelert, oedd yn eistedd ar ei lin ac yn ysgyrnygu'n filain ar Elisabeth y gath. Roedd honno wedi cael ei lapio mewn lliain ar lin Siân er mwyn dod dros godwm y pwll hwyaid.

"Anghofiwch am y bisgedi," meddai Siân. "Dwi isio gwybod be wnaethoch chi ei ddweud wrth y Prif Weinidog."

"Fe ddywedodd Alys wrtho fo am sticio ei gynnig i fyny 'i ..."

"Fe ddywedon ni nad oedd gynnon ni ddiddordeb," meddai Alys cyn i Mr Ffiaidd allu gorffen ei frawddeg. "Croeso i chi sefyll yn yr etholiad felly, Mam."

"O na, dydw i ddim isio," meddai Mam. "Ddim ar ôl yr helynt ar y teledu."

"Ond rŵan eich bod chi wedi cwrdd â Mr Ffiaidd ac wedi gweld sut mae pobol eraill yn byw, falle y byddech chi'n gallu trio gwneud pethau'n well iddyn nhw," cynigiodd Alys.

"Wel, y tro nesa falle, ond nid eleni," meddai Mam. "Ond mi fydda i'n saff o newid fy mholisïau. Yn enwedig yr un am bobol ddigartref. Ro'n i'n hollol anghywir."

"A be am yr un am bobol ddi-waith?" meddai Alys, gan beswch yn awgrymog ac edrych ar Dad.

"Be ydi hyn?" gofynnodd Mam.

"O, diolch, Alys," meddai Dad yn goeglyd. "Wel, doeddwn i ddim isio dweud wrthat ti, ond mae'n debyg y bydd y ffatri geir yn cau'n fuan ac maen nhw wedi gorfod gwneud ambell un yn ddi-waith."

"Felly rwyt ti'n ...?" gofynnodd Mam, heb allu credu'i chlustiau.

"Yn ddi-waith, ydw. Ond roedd gen i ormod o ofn dweud wrthat ti. Dyna pam rydw i wedi bod yn cuddio yn y twll dan grisiau ers mis."

"Be rwyt ti'n feddwl, gormod o ofn i ddweud wrtha i? Dwi'n dy garu di, ac mi wna i dy garu di am byth, hyd yn oed os nad wyt ti'n gweithio yn y ffatri geir wirion 'na."

Rhoddodd Dad ei fraich am ysgwydd ei wraig a rhoi cusan iddi ar ei gwefusau. Cusanodd y ddau am ychydig eiliadau'n rhy hir, ac edrychodd Alys a Siân arnyn nhw gyda chymysgedd rhyfedd o falchder a chwithdod. Cusan rhwng rhieni – hyfryd, ond eto'n droëdig. Ac mae lapswchan hyd yn oed yn waeth. Ych-a-fi.

"Mi fyddwn i'n gallu bod yn seren roc eto, ond mi wnest ti daflu'r gitâr ar y goelcerth!" chwarddodd Dad.

"Paid â sôn!" meddai Mam. "Dwi'n dal i deimlo'n euog am hynny! Mi wnes i syrthio mewn cariad efo ti'n syth pan wnes i dy weld di ar y llwyfan 'na yn chwarae efo'r band. Dyna pam y gwnes i dy briodi di. Ond achos nad oedd yr albwm yn gwerthu, mi wnes i dy weld di'n torri dy galon a do'n i ddim yn gallu dioddef hynny. Ro'n i'n trio dy helpu di i symud ymlaen, ond dwi'n deall rŵan 'mod i wedi sathru ar dy freuddwydion di. A dyna pam nad ydw i isio gwneud yr un camgymeriad eto."

Cododd Mam ar ei thraed ac fe aeth i dyrchu drwy ddrôr y cwpwrdd lle roedd hi'n cuddio ei siocled. "Mae'n ddrwg ofnadwy gen i 'mod i wedi rhwygo dy stori di, Alys." Cydiodd Mam yn narnau mân y llyfr Mathemateg lle roedd Alys wedi sgwennu'r stori, a dechrau rhoi'r cyfan yn ôl at ei gilydd gyda thâp gludiog. Roedd ei llygaid hi'n llawn dagrau o falchder erbyn iddi hi orffen. "Dwi wedi cael cyfle i feddwl ar ôl *Pawb a'i Farn*," meddai. "Mi wnes i nôl y darnau o'r bin a darllen y stori o'r dechrau i'r diwedd. Mae hi'n wych, Alys."

Gafaelodd Alys yn y llyfr gyda gwên. "Dwi'n addo canolbwyntio'n galetach yn y gwersi Mathemateg o hyn ymlaen, Mam."

"Diolch, Alys. Ac mae gen i rywbeth i ti hefyd, cariad," meddai Mam wrth Dad. Aeth Mam at y goeden Nadolig a gafael mewn anrheg oedd yr union siâp â gitâr drydan.

25

Clamp o sypréis

"Mae gen i lwythi o anrhegion Dolig,
Ond ti'n bell i ffwrdd, a minnau'n unig."

Roedd Dad wedi agor ei anrheg ac roedd wrthi'n neidio ar hyd y stafell fyw gan ganu un o hen ganeuon y band, a'r gitâr yn ei ddwylo. Roedd o'n ail-fyw ei ieuenctid, ac roedd o wrth ei fodd. Bron nad oedd ei wallt wedi tyfu'n ôl hefyd. Eisteddai Mam, Alys, Siân a Mr Ffiaidd ar y soffa'n gwylio mewn rhyfeddod ac yn clapio eu dwylo. Roedd hyd yn oed Elisabeth a Gelert yn mwynhau, ac yn nodio eu pennau gyda'r curiad. Doedd roc trwm ddim at

ddant Mr Ffiaidd, ac roedd o wedi rhoi'r baw

cwningen yn ôl yn ei glustiau heb i neb sylwi.

"Tyrd yma, cariad, i fwyta mins-peis,
Ac wedyn mi gei di glamp o sypréis!"

Daeth Dad â'r gân i ben gydag unawd anhygoel o swnllyd ar y gitâr, ac fe gurodd y gynulleidfa fechan o gefnogwyr eu dwylo'n frwd.

"Diolch, Stadiwm y Mileniwm, diolch yn fawr iawn. Ni oedd *Seirff Uffern* a honna oedd ein cân, *Nadolig Unig*, sydd wedi saethu i rif 98 yn y siartiau. Rŵan, y gân nesa ydi ..."

"Dwi'n meddwl bod hynny'n hen ddigon o roc trwm am un noson, cariad ..." meddai Mam, yn dechrau difaru rhoi'r gitâr iddo'n anrheg. Trodd at Alys gan ddweud, "Ti'n siŵr dy fod di am aros, wyt?"

"Ydw, Mam. Wna i byth adael. Dyma'r Dolig gorau erioed!"

"O, diolch byth!" meddai Mam. "Mae mor braf cael pawb efo'i gilydd fel hyn."

"Ond ..." meddai Alys, "mae 'na un peth y byddwn i'n ei hoffi."

"Be ydi hwnnw?" gofynnodd Mam.

"Mi fyddwn i'n hoffi i Mr Ffiaidd symud i fyw yma'n barhaol."

"Be?!" ebychodd Mam yn gegrwth.

"Wel am syniad da!" cytunodd Dad. "Mae pawb wrth eu boddau yn eich cwmni chi, Mr Ffiaidd."

"Rydych chi'n rhan o'r teulu bellach," meddai Siân.

"Wel ... mi geith o aros am 'chydig hirach yn y sied, am wn i ..." meddai Mam yn anfoddog.

"Na, ddim yn y sied. Yn y tŷ," mynnodd Alys.

"Wrth gwrs," ychwanegodd Dad.

"Mi fyddai hynny'n wych!" ebychodd Siân.

"Yym ... yym ... o ... yym ..." Roedd Mam yn edrych yn anesmwyth braidd. "Dwi wir yn gwerthfawrogi be mae Mr Ffiaidd wedi'i wneud, ond dwi ddim yn siŵr y byddai o'n teimlo'n gartrefol yma. Hynny ydi, dydi o ddim wedi arfer â byw mewn tŷ mor neis â hwn ..."

"A dweud y gwir, roedd Mr Ffiaidd yn byw mewn plasty unwaith," meddai Alys.

"Be? Fel gwas?" gofynnodd Mam.

"Na, ei blasty *o* oedd o. Mae Mr Ffiaidd yn arglwydd."

"Arglwydd? Ydi hyn yn wir, Mr Ffiaidd?"

"Ydi, Mrs Prydderch."

"Trempyn bonheddig! Wel, mae hynny'n newid pob dim!" cyhoeddodd Mam, yn falch fod rhywun pwysig yn y tŷ o'r diwedd. "Dad, tynna'r gorchudd plastig oddi ar y soffa! Siân, dos i nôl y llestri gorau! Ac os byddwch chi angen defnyddio'r tŷ bach lawr grisiau unrhyw bryd, Arglwydd Ffiaidd, mae'r allwedd gen i fan hyn."

"Diolch i chi, ond dydw i ddim isio mynd ar hyn o bryd. O, arhoswch funud ..."

Edrychodd pawb yn ddisgwylgar ar Mr Ffiaidd. Roedd Dad, Siân ac Alys bron â thorri eu boliau eisiau gweld sut le oedd y tŷ bach lawr grisiau.

Doedd Mam ddim wedi gadael i'r un ohonyn nhw ei ddefnyddio o'r blaen.

"Na, na – rhywbryd eto," cyhoeddodd Mr Ffiaidd.

Aeth Mam yn ei blaen â'i phaldaruo. "Ac ... ac ... mi gewch chi gysgu yn ein stafell ni, hybarch Arglwydd! Mi wna i gysgu ar y soffa ac mi fydd Dad yn fwy na pharod i gysgu yn y sied."

"Be?!" meddai Dad.

"Plis, plis, arhoswch efo ni," plediodd Alys.

Eisteddodd Mr Ffiaidd mewn tawelwch am funud. Dechreuodd y cwpan a'r soser yn ei law grynu, yna fe lifodd un deigryn i lawr ei wyneb. Llithrodd yn araf i lawr ei foch, gan adael un llinell lân yng nghanol y budreddi. Edrychodd Gelert ar ei feistr a llyfu'r deigryn oddi ar ei wyneb. Gafaelodd Alys yn llaw Mr Ffiaidd a'i gwasgu.

Gwasgodd Mr Ffiaidd ei llaw'n dynn, dynn. Roedd y ddau'n gwybod ei bod hi'n bryd ffarwelio.

"Y fath garedigrwydd. Diolch o galon. Diolch o galon i bob un ohonoch chi. Ond mae arna i ofn fod yn rhaid i mi wrthod y cynnig."

"Arhoswch efo ni ar gyfer diwrnod Dolig a Gŵyl San Steffan o leia," plediodd Siân. "Plis ...?" ychwanegodd Alys.

"Diolch eto," meddai Mr Ffiaidd, "ond gwrthod sydd raid."

"Ond pam?" gofynnodd Alys.

"Mae fy ngwaith i yma ar ben. A chrwydryn ydw i," meddai Mr Ffiaidd. "Mae'n bryd i mi grwydro ymhellach."

"Ond mi fyddech chi'n saff ac yn gynnes yma efo ni," plediodd Alys yn daer, a'r dagrau'n powlio i lawr ei hwyneb. Sychodd Siân ddagrau ei chwaer â'i llawes.

"Mae'n ddrwg gen i, 'mechan i. Rhaid i mi fynd. Dim dagrau, plis. Dim ffys. Ffarwél i chi i gyd, a diolch am eich holl garedigrwydd." Rhoddodd Mr

Ffiaidd ei gwpan a'i soser ar y bwrdd a cherdded am y drws. "Tyrd o'na, Gelert," meddai. "Mae'n amser i ni fynd."

26

Seren fechan

Cerddodd Mr Ffiaidd ymaith dan olau'r lleuad. Roedd hi'n lleuad lawn, lachar, ac edrychai'n rhy berffaith i fod yn un go iawn. Bron nad oedd hi'n edrych fel petai hi wedi cael ei phaentio gan ryw arlunydd a'i chrogi wrth fachyn yn yr awyr. Roedd hi'n arbennig o hardd. Doedd 'na ddim eira – anaml iawn y bydd 'na eira ar ddiwrnod Nadolig, dim ond ar y cardiau. Yn hytrach, roedd y stryd yn wlyb ar ôl cawod drom o law, a golau'r lleuad yn dawnsio ar wyneb y pyllau dŵr. Roedd pob tŷ, bron, wedi'i orchuddio gan oleuadau ac addurniadau, a'r coed Nadolig yn tywynnu'n ddisglair yn y ffenestri.

Rhwng y lleuad a'r addurniadau, edrychai'r stryd yn brydferth tu hwnt. A'r cwbwl oedd i'w glywed oedd sŵn traed Mr Ffiaidd wrth iddo gerdded yn araf drwy'r pyllau dŵr tua phen draw'r stryd, a Gelert yn dilyn yn ffyddlon wrth ei gwt.

Syllai Alys ar Mr Ffiaidd drwy ffenest ei stafell wely. Estynnodd ei llaw a'i gosod ar y gwydr oer, fel petai hi'n ceisio gafael yn ei chyfaill. Edrychodd arno'n diflannu yn y pellter, cyn mynd yn benisel i'w gwely.

Yna, tra oedd hi'n gorwedd yn ei gwely, fe feddyliodd hi am reswm dros weld Mr Ffiaidd un tro arall.

"*Elin a'r athrawon canibalaidd rheibus!*" bloeddiodd Alys wrth redeg ar ei ôl i lawr y stryd.

"Alys?" meddai Mr Ffiaidd.

"Dwi wedi bod yn meddwl ac yn meddwl am ail antur Elin. Ga i ddweud yr hanes wrthoch chi rŵan?"

"Sgwenna'r stori ar bapur i mi, 'mechan i."

"Ei sgwennu hi?"

"Ie," meddai Mr Ffiaidd. "Ryw ddiwrnod mi fydda i'n camu i mewn i siop lyfrau ac mi fydd pentwr o gyfrolau yno efo dy enw di ar y clawr. Mae gen ti ddawn anhygoel i ddweud stori, Alys."

"Oes wir?" Doedd neb erioed wedi dweud wrth Alys fod ganddi hi ddawn o fath yn y byd.

"Oes. Mi wnaiff yr holl amser 'na rwyt ti wedi'i dreulio ar dy ben dy hun yn dy stafell ddwyn ffrwyth ryw ddydd. Mae gen ti ddychymyg byw – dychymyg anhygoel. Dawn brin iawn. Rhaid i ti ei rhannu hi â'r byd i gyd."

"Diolch, Mr Ffiaidd," meddai Alys yn swil.

"Dwi'n falch iawn dy fod wedi rhedeg ar fy ôl i. Mae gen i rywbeth i ti."

"I mi?"

"Ie," meddai Mr Ffiaidd. "Dwi wedi cynilo fy holl arian mân ac wedi prynu anrheg Dolig i ti. Dwi'n meddwl ei bod hi'n eitha arbennig."

Tyrchodd Mr Ffiaidd yn ei fag a gafael mewn anrheg wedi'i lapio mewn papur brown a llinyn blêr. Rhoddodd yr anrheg i Alys ac fe agorodd hi'r papur yn eiddgar. Y tu mewn, roedd 'na set o bensiliau *Rapsgaliwn*.

"Ro'n i'n meddwl y byddet ti'n ei hoffi. Mi ddywedodd Huw mai dyna'r set ola yn y siop."

"Wnaeth o wir?" Gwenodd Alys. "Dyma'r anrheg orau erioed." A doedd hi ddim yn dweud celwydd. Roedd y ffaith fod Mr Ffiaidd wedi cynilo ei holl arian i brynu anrheg iddi hi yn werth y byd i gyd. "Mi wna i drysori hwn am byth."

"Diolch," meddai Mr Ffiaidd.

"Ac rydych chi wedi rhoi'r anrheg orau erioed i'r teulu hefyd – ein tynnu ni at ein gilydd."

"Wel, dwi ddim yn hollol siŵr a fedra i hawlio'r clod i gyd am hynny," meddai Mr Ffiaidd dan wenu. "Mi ddylet ti fynd yn ôl adre rŵan, 'mechan i. Mae hi'n oer ac mae hi ar fin dechrau bwrw."

"Dwi ddim yn hoffi meddwl amdanoch chi'n cysgu allan yn y glaw," meddai Alys. "Yn enwedig ar noson oer fel heno."

Gwenodd Mr Ffiaidd. "Dwi'n hoffi'r awyr iach, wyddost ti. Ar noson ein priodas, mi wnaeth Gwenllian ddangos y seren loywaf yn yr awyr i mi. Weli di hi? Honna'n fanna?"

Pwyntiodd Mr Ffiaidd at y seren. Roedd hi'n disgleirio mor llachar â'i lygaid.

"Dwi'n ei gweld hi," meddai Alys.

"Wel, mi wnaethon ni sefyll allan ar y balconi y noson honno, ac mi ddywedodd hi y byddai hi'n fy ngharu i tra byddai'r seren yna'n dal i ddisgleirio. Felly, bob nos cyn mynd i gysgu, dwi'n edrych ar y seren ac yn meddwl amdani hi, ac am y cariad mawr oedd rhyngddon ni. Dwi'n gweld y seren, a dwi'n gweld ei hwyneb hi."

"Mae hynny'n hollol hyfryd," meddai Alys, gan geisio'i gorau i ddal y dagrau'n ôl.

"Dydi Gwenllian ddim wedi mynd. Dwi'n cwrdd â hi bob nos wrth freuddwydio. Rŵan, mae'n bryd i ti fynd adre. A phaid â phoeni amdana i, 'mechan i. Mae gen i Gelert a'r seren yn gwmni."

"Ond mi fydd gen i hiraeth amdanoch chi," meddai Alys.

Gwenodd Mr Ffiaidd, yna fe bwyntiodd i'r awyr eto. "Weli di seren Gwenllian?"

Nodiodd Alys.

"Wel, wyt ti'n gweld y seren fechan arall odani hi?"

"Ydw," meddai Alys. Yn yr awyr, roedd seren Gwenllian yn disgleirio'n llachar. O dan y seren honno roedd seren fechan yn gwenu yn y tywyllwch.

"Wel, rwyt ti'n ferch arbennig iawn," meddai Mr Ffiaidd. "Pan fydda i'n edrych ar y seren fach yna, mi fydda i'n meddwl amdanat ti."

Wyddai Alys ddim beth i'w ddweud yn iawn.

"Diolch," meddai. "A phan fydda i'n edrych arni hi, mi fydda i'n meddwl amdanoch chi."

Gafaelodd yn dynn yn Mr Ffiaidd, a doedd hi ddim eisiau gollwng gafael. Safodd Mr Ffiaidd yn stond am ychydig cyn i Alys ddechrau llacio'i gafael. "Rhaid i mi fynd rŵan. Dwi'n enaid aflonydd ac mae'n rhaid i mi grwydro. Hwyl fawr, Alys, 'mechan i."

"Hwyl fawr, Mr Ffiaidd."

Edrychodd Alys ar Mr Ffiaidd yn cerdded tua'r gorwel, a'r cyfan oedd ar ôl wedyn oedd sŵn byddarol y tawelwch yn atseinio drwy ddüwch y nos.

Yn hwyrach y noson honno, eisteddai Alys ar ei phen ei hun ar y gwely. Roedd Mr Ffiaidd wedi mynd. Am byth, o bosib. Ond roedd hi'n dal i glywed ei oglau o. Mi fyddai hi'n gallu clywed ei oglau o am byth.

Mr Ffiaidd

Agorodd ei llyfr Mathemateg er mwyn dechrau
stori newydd.

Un drewllyd oedd Mr Ffiaidd ...

Nofelau hwyliog a doniol David Walliams

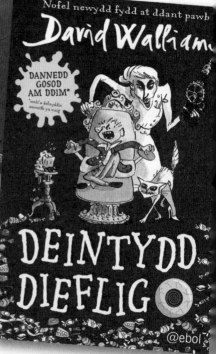